D1638678

UN ÉTÉ SANS LES HOMMES

DU MÊME AUTEUR

Les Yeux bandés, Actes Sud, 1993 ; Babel n° 196.
L'Envoûtement de Lily Dahl, Actes Sud, 1996 ; Babel n° 380.
Yonder, Actes Sud, 1999 ; Babel n° 774.
Tout ce que j'aimais, Actes Sud/Leméac, 2003 ; Babel n° 686.
Les Mystères du rectangle. Essais sur la peinture, Actes Sud, 2006.
Elégie pour un américain, Actes Sud/Leméac, 2008 ; Babel n° 1006.
Plaidoyer pour Eros, Actes Sud, 2009.
La Femme qui tremble. Une histoire de mes nerfs, Actes Sud/Leméac, 2010 ; Babel n° 1151.
Un été sans les hommes, Actes Sud/Leméac, 2011.
Au pays des Mille et Une Nuits, Actes Sud, 2011.
Vivre, penser, regarder, Actes Sud/Leméac, 2013.

Dessins au trait de Siri Hustvedt

Titre original :
The Summer without Men
Editeur original :
Picador / Henry Holt and Company, LLC, New York

ISBN 978-2-330-01864-1

SIRI HUSTVEDT

UN ÉTÉ SANS LES HOMMES

roman traduit de l'américain
par Christine Le Bœuf

BABEL

pour Frances Cohen

LUCY (Irene Dunne) : Tu es tout déconcerté, hein ?
JERRY (Cary Grant) : M-hm. Toi pas ?
LUCY : Non.
JERRY : Eh bien, tu devrais, parce que tu te trompes si tu crois que les choses sont différentes parce qu'elles ne sont plus les mêmes. Les choses sont différentes, sauf que c'est d'une manière différente. Tu es toujours la même, seulement moi j'ai été idiot. Eh bien, je ne le suis plus maintenant. Alors, puisque je suis différent, ne crois-tu pas que les choses pourraient redevenir les mêmes ? Seulement un peu différentes.

Cette sacrée vérité (The Awful Truth)
Réalisation : Leo McCarey
Scénario : Viña Delmar

Quelque temps après qu'il eut prononcé le mot *pause*, je devins folle et atterris à l'hôpital. Il n'avait pas dit : *Je ne veux plus jamais te revoir*, ni : *C'est fini* mais, après trente années de mariage, *pause* suffit à faire de moi une folle furieuse dont les pensées explosaient, ricochaient et s'entrechoquaient comme des grains de popcorn dans un four à micro-ondes. J'étais arrivée à cette lamentable constatation alors que je gisais sur mon lit dans l'aile sud, si alourdie par le Haldol que bouger m'était odieux. Les cruelles voix rythmées s'étaient adoucies, mais elles n'avaient pas disparu et lorsque je fermais les yeux je voyais des personnages de dessin animé courir à toute vitesse sur des collines roses et disparaître dans des forêts bleues. A la fin, le Dr P. posa son diagnostic : je souffrais d'une "crise psychotique", appelée parfois "bouffée délirante", ce qui signifie que vous êtes réellement fou mais pas pour longtemps. Si cela dure pendant plus d'un mois, une autre appellation s'impose. Il semble qu'il y ait souvent un déclencheur – dans le parler psychiatrique, un "stresseur" – à l'origine de ce genre d'affection. Dans mon cas, c'était Boris, ou plutôt l'absence de Boris, le fait que Boris s'accordât une pause. On me tint enfermée pendant une semaine et demie, et puis on me laissa sortir. Je continuai à fréquenter le service en externe pendant quelque temps, jusqu'à ce que je trouve Dr S., sa voix basse et musicale, son sourire réservé et son oreille poétique. Elle me fut d'un grand soutien – et l'est encore, à vrai dire.

Je n'aime pas me souvenir de la folle. J'ai honte d'elle. Longtemps, j'ai refusé de lire ce qu'elle avait écrit dans un cahier noir et blanc au cours de son hospitalisation. Je savais ce qui était griffonné sur la couverture d'une écriture qui ne ressemblait en rien à la mienne, *Tessons de cerveau*, mais je ne voulais pas l'ouvrir. J'avais peur d'elle, vous comprenez. Quand Daisy, ma grande fille, vint me rendre visite, elle dissimula son malaise. Je ne sais pas exactement ce qu'elle voyait, mais je peux le deviner : une femme émaciée à force de ne pas manger, encore désorientée, le corps ankylosé par les médicaments, une créature incapable de réagir convenablement aux propos de sa fille, incapable d'étreindre son enfant. Et puis, lorsqu'elle sortit, je l'entendis confier à l'infirmière, dans un gémissement où résonnait comme un sanglot dans la gorge : "C'est comme si ce n'était pas ma mère." J'étais en plein désarroi, alors, mais aujourd'hui le souvenir de cette phrase m'est une souffrance atroce. Je m'en veux.

La Pause était française, elle avait des cheveux châtains plats mais brillants, des seins éloquents qui étaient authentiques, pas fabriqués, d'étroites lunettes rectangulaires et une belle intelligence. Elle était jeune, bien entendu, de vingt ans plus jeune que moi, et j'ai dans l'idée que Boris avait convoité quelque temps sa collègue avant de donner l'assaut à ses régions éloquentes. Je me suis représenté la chose à de multiples reprises. Boris, avec ses mèches blanches comme neige qui lui tombent sur le front, empoignant la poitrine de ladite Pause à proximité des cages de rats génétiquement modifiés. Je vois toujours cela dans le labo, bien que ce soit sans doute faux. Ils s'y trouvaient rarement seuls tous les deux, et "l'équipe" n'aurait su ignorer la mêlée bruyante à deux pas. Peut-être trouvèrent-ils refuge dans un box des toilettes, où mon Boris aurait défoncé sa scientifique de collègue, les yeux chavirant dans leurs orbites à l'approche de l'explosion. Je connaissais tout cela. J'avais vu ses yeux chavirer des milliers de fois. La banalité de l'histoire – le fait qu'elle soit répétée chaque jour *ad nauseam* par des hommes qui, s'apercevant tout à coup ou petit à petit que ce qui EST pourrait NE PAS ÊTRE, font dès lors en sorte de se libérer des femmes vieillissantes qui ont, pendant des années, pris soin d'eux et de leurs enfants – n'amortit pas le chagrin, la jalousie et l'humiliation qui s'emparent des abandonnées. Femmes bafouées. Je geignis, je criai, je frappai le mur de mes poings. Je lui fis peur. Il lui fallait la paix, la liberté de s'en aller de son côté en compagnie de la neurologue de ses rêves, cette scientifique bien élevée, une femme avec laquelle il n'avait en commun ni passé, ni douleurs pesantes, ni chagrin, ni aucun conflit. Et pourtant il disait *pause*, pas *fin*, laissant ainsi le récit ouvert, au cas où il changerait d'avis. Une cruelle fêlure d'espoir. Boris, le Mur. Boris, qui ne crie jamais. Boris hochant la tête sur le canapé, l'air déconfit. Boris, l'homme aux rats qui avait épousé une poétesse en 1979. Boris, pourquoi m'as-tu quittée ?

Il me fallait partir de l'appartement, car y rester était trop douloureux. Les pièces et leur mobilier, uits de la rue, la lumière qui entrait dans mon au, les brosses à dents dans leur petit support, placard de la chambre à coucher avec sa poignée manquante, chacune de ces choses était devenue comme un os douloureux, une jointure, une côte ou une vertèbre dans une anatomie articulée de souvenirs partagés ; chaque objet familier, chargé des significations accumulées au fil du temps, semblait peser dans mon corps, et je découvrais que je ne pouvais pas les supporter. Je quittai donc Brooklyn pour aller passer l'été chez moi, dans le trou perdu au cœur de ce qui était autrefois la prairie du Minnesota où j'avais vécu mon enfance. Le Dr S. n'était pas contre. Nous aurions des rendez-vous téléphoniques hebdomadaires, sauf au mois d'août, quand elle prendrait ses vacances habituelles. L'université avait fait preuve de "compréhension" concernant mon effondrement, et je reprendrais mes cours en septembre. Ce serait la béance entre Hiver de folie et Automne de raison, un creux vide d'événements, à remplir de poèmes. Je consacrerais du temps à ma mère et mettrais des fleurs sur la tombe de mon père. Ma sœur et Daisy viendraient me voir, et on m'avait chargée d'enseigner la poésie aux jeunes dans le cadre du Cercle artistique local. "Lauréate d'un prix littéraire, une enfant du pays propose un atelier de poésie", titra le *Bonden News*. Le prix de poésie Doris P. Zimmer est une obscure récompense qui m'était tombée du ciel, un prix décerné exclusivement à une femme dont l'œuvre s'inscrit dans la catégorie "expérimentale". J'avais volontiers accepté ce douteux honneur et le chèque qui l'accompagnait, mais non sans quelques réserves personnelles, avant de m'apercevoir que N'IMPORTE QUEL prix vaut mieux que pas de prix du tout, que le terme de "lauréate" offre au poète vivant dans un monde où l'on ignore tout de la poésie un lustre précieux, en dépit de son caractère purement décoratif. Ainsi que l'a dit un jour John Ashbery, "être un poète célèbre n'est pas la même chose qu'être célèbre". Et je ne suis pas un poète célèbre.

Je louai une petite maison à la limite de la ville, non loin de l'appartement où habitait ma mère dans un bâtiment exclusivement réservé aux personnes âgées et très âgées. Ma mère vivait dans le quartier des "autonomes". Malgré l'arthrose et diverses autres affections, y compris d'éventuelles poussées d'une dangereuse hypertension, elle était d'une activité et d'une clarté d'esprit remarquables pour ses quatre-vingt-sept ans. L'établissement comprenait deux autres quartiers distincts – un pour les personnes qui avaient besoin d'aide, dit "vie assistée", et, en bout de ligne, le "centre de soins". Mon père était mort là six ans auparavant et, bien que j'eusse un jour éprouvé la tentation d'y revenir pour revoir l'endroit, à peine en avais-je franchi l'entrée que je fis demi-tour, fuyant le fantôme paternel.

"Je n'ai parlé à personne ici de ton séjour à l'hôpital", dit ma mère d'une voix anxieuse, son regard vert et intense soutenant le mien. "Personne n'a besoin de savoir."

J'oublierai la goutte d'Angoisse
Qui maintenant me brûle– qui maintenant me brûle

Emily Dickinson. N° 193 à la rescousse. Adresse : Amherst.

Vers et expressions m'ont voleté dans la tête tout l'été durant. "Si une pensée sans penseur se présente, a dit Wilfred Bion, il se peut que ce soit une «pensée égarée», ou ce pourrait être une pensée portant le nom et l'adresse du propriétaire, ou encore une «pensée sauvage». La question, si une telle chose se présentait, serait de savoir qu'en faire."

Il y avait des maisons de part et d'autre de celle que j'avais louée – un nouveau lotissement – mais par la fenêtre de derrière rien n'obstruait la vue. Celle-ci consistait en un petit jardin avec une balançoire et, au-delà, un champ de maïs et, encore au-delà, un champ de luzerne. Au loin, il y avait un bouquet d'arbres, la silhouette d'une grange, un silo et, par-dessus, le vaste ciel tourmenté. Cette vue me plaisait, mais l'intérieur de la maison me troublait, non parce qu'elle était laide, mais parce qu'elle était imprégnée des vies de ses propriétaires, un couple de jeunes professeurs et leurs deux enfants, qui s'étaient évadés à Genève pour l'été grâce à l'une ou l'autre bourse de recherche. Quand, après avoir déposé mes bagages et mes caisses de livres, je regardai autour de moi, je me demandai comment j'allais m'intégrer à ce lieu, avec ses photos de famille et ses coussins décoratifs d'origine asiatique indéterminée, ses rangées de livres sur les gouvernements, les tribunaux et la diplomatie internationale, ses caisses de jouets et l'odeur rémanente des chats, lesquels, heureusement, n'étaient pas en résidence. J'eus la pensée amère qu'il y avait rarement eu de la place pour moi, que j'avais été une gratte-papier des instants volés. J'avais travaillé à la table de la cuisine, dans les premiers temps, et couru auprès de Daisy dès qu'elle s'éveillait de son somme. Avec l'enseignement et la poésie de mes élèves – des poèmes sans nécessité, décorés de fioritures et rubans "littéraires" – s'étaient envolées des heures innombrables. Mais, aussi, je ne m'étais pas défendue ou, plutôt, je ne m'étais pas défendue comme il aurait fallu. Il y a des gens qui se contentent d'occuper la place dont ils ont besoin, repoussant du coude les intrus afin de prendre possession d'un espace. Boris y arrivait sans remuer un muscle. Tout ce qu'il avait à faire, c'était rester planté là, "silencieux comme une souris". Moi, j'étais une souris bruyante, de celles qui grattent dans les murs et font du chahut mais, je ne sais pourquoi, cela ne changeait rien. Magie de l'autorité, de l'argent, du pénis.

Je rangeai avec soin dans une caisse toutes les photos encadrées, en notant sur un post-it la place de chacune. Je pliai plusieurs tapis et les mis de côté de même qu'une vingtaine de coussins superflus et des jouets d'enfants, après quoi je nettoyai méthodiquement la maison, exhumant des amas de poussière auxquels adhéraient des trombones, des allumettes brûlées, des grains de litière pour chats, plusieurs M & M's écrasés et divers débris non identifiables. Je passai à l'eau de Javel les trois éviers, les deux toilettes, la baignoire et la douche. Je récurai le sol de la cuisine, époussetai et lavai les lampes du plafond, que recouvrait une épaisse couche de crasse. La purge dura deux jours et me valut des membres douloureux et plusieurs coupures aux mains mais, de cette activité forcenée, les pièces ressortirent avivées. Les contours moisis et flous de tous les objets occupant mon champ de vision avaient acquis une précision et une netteté qui me réjouissaient, ne fût-ce que momentanément. Je déballai mes livres, m'installai dans ce qui paraissait être le bureau du mari (indice : attirail d'un fumeur de pipe), m'assis et écrivis :

> Perte.
> Une absence connue.
> Si on ne la connaissait pas,
> ce ne serait rien,
> et ce n'est que cela, bien sûr,
> un rien d'une autre espèce,
> ressenti aussi vivement qu'une écorchure,
> mais un tumulte, aussi,
> dans la région du cœur et des poumons,
> un vide qui porte un nom : Toi.

Ma mère et ses amies étaient veuves. Leurs maris étaient presque tous morts depuis des années, mais elles avaient continué à vivre et durant cette vie elles n'avaient pas oublié leurs hommes disparus, même si elles ne semblaient pas accrochées aux souvenirs de leurs époux ensevelis. A vrai dire, le temps avait rendu ces vieilles dames impressionnantes. En privé, je les appelais les Cinq Cygnes, l'élite de Rolling Meadows est, des femmes qui avaient mérité leur statut, non par leur seule pérennité ni l'absence de problèmes physiques (elles souffraient toutes d'une affection ou d'une autre), mais parce que les Cinq avaient en commun une force de caractère et une autonomie qui les paraient d'un vernis de liberté enviable. George (Georgiana), la plus âgée, reconnaissait que les Cygnes avaient eu de la chance. “Nous avons toutes conservé nos billes jusqu'ici, déclara-t-elle avec humour. Bien sûr, on ne sait jamais – nous disons toujours que n'importe quoi peut arriver n'importe quand.” Lâchant de la main droite son déambulateur, elle claqua des doigts. La friction était faible et ne produisit aucun son, fait dont elle parut consciente parce que son visage se plissa en un sourire asymétrique.

Je ne confiai pas à George que j'avais perdu et retrouvé mes billes, que les perdre m'avait fait une peur bleue, ni que, tandis que j'étais en train de bavarder avec elle, debout dans le long couloir, un vers d'un autre George, Georg Trakl, m'était revenu : *In kühlen Zimmern ohne Sinn.* Dans des chambres fraîches dépourvues de sens. Dans des chambres fraîches et absurdes.

“Sais-tu quel âge j'ai ? poursuivit-elle.

— Cent deux ans.”

Elle possédait un siècle.

“Et toi, Mia, quel âge as-tu ?

— Cinquante-cinq.

— Une gamine.”

Une gamine.

Il y avait Regina, quatre-vingt-huit ans. Elle était née à Bonden mais avait fui la province et épousé un diplomate. Elle avait vécu dans plusieurs pays et sa diction avait quelque chose d'étranger – une articulation excessive, peut-être – résultant à la fois de plongées répétées dans des environnements exotiques et, soupçonnais-je, de prétention, mais cette manie consciente avait pris de l'âge en même temps que la locutrice jusqu'à ne plus faire qu'une avec ses lèvres, sa langue et ses dents. Un mélange quelque peu théâtral de vulnérabilité et de charme émanait de Regina. Depuis la mort de son mari, elle s'était remariée deux fois – les deux hommes étaient décédés brutalement – et plusieurs liaisons avaient suivi, dont une avec un séduisant Anglais de dix ans son cadet. Regina comptait sur ma mère comme confidente et cotesteuse des événements culturels locaux – concerts, expositions et, à l'occasion, théâtre. Il y avait Peg, quatre-vingt-quatre ans, qui était née et avait grandi à Lee, une ville encore plus petite que Bonden, avait rencontré son mari à l'école secondaire, en avait eu six enfants et avait acquis une multitude de petits-enfants dont elle parvenait à se tenir au courant jusque dans les moindres détails, signe d'une santé neuronale exceptionnelle. Et, enfin, il y avait Abigail, quatre-vingt-quatorze ans. Bien qu'elle eût un jour été grande, l'ostéoporose avait eu raison de sa colonne vertébrale et elle était devenue bossue. Par-dessus le marché, elle était quasiment sourde, mais, sitôt que je l'eus aperçue, j'éprouvai pour elle de l'admiration. Elle portait des pantalons bien coupés et des pull-overs de sa fabrication, avec des applications ou des broderies représentant des pommes, des chevaux ou des enfants en train de danser. Cela faisait longtemps qu'elle avait perdu son mari – mort, disaient les uns ; les autres soutenaient qu'il y avait eu divorce. Quel que fût le cas, le soldat Gardener avait disparu pendant ou juste après la Seconde Guerre mondiale et sa veuve, ou son ex, avait décroché un diplôme d'enseignante et était devenue professeur de dessin à l'école primaire. “Tordue et sourde, mais pas muette, avait-elle déclaré avec emphase lors de notre première rencontre. N'hésitez pas à venir me voir. J'apprécie la compagnie. C'est la trente-deux zéro quatre. Répétez après moi : trente-deux zéro quatre.”

Toutes cinq lectrices, elles faisaient partie, avec quelques autres femmes, d'un club de lecture et se retrouvaient une fois par mois, réunion qui revêtait, entendis-je de sources variées, un caractère assez compétitif. Depuis que ma mère vivait à Rolling Meadows, un nombre indéterminé de personnages du théâtre de sa vie quotidienne avaient quitté la scène pour partir au "centre de soins" et n'en jamais revenir. Ma mère me confia franchement que, dès lors qu'une personne s'en allait, elle disparaissait dans un "trou noir". Le chagrin était minime. Les Cinq vivaient dans un présent féroce car, à la différence des jeunes qui envisagent leur fin avec distance et philosophie, ces femmes savaient que leur mort n'était pas une abstraction.

S'il avait été possible de dissimuler à ma mère mon affreuse désagrégation, je l'aurais fait, mais dès lors qu'un membre d'une famille se retrouve emmené et interné, les autres surgissent, pleins d'inquiétude et de pitié. Ce que j'avais ardemment souhaité cacher à maman, j'avais pu le laisser voir en toute liberté à ma sœur, Beatrice. Elle avait appris la nouvelle et, deux jours après mon admission dans l'unité sud, avait sauté dans un avion pour New York. Je ne vis pas qu'on lui ouvrait les portes de verre. Mon attention avait dû fléchir un instant, parce que j'avais pourtant attendu et guetté son arrivée. Je crois qu'elle m'aperçut immédiatement car je levai la tête en entendant le claquement décidé de ses hauts talons tandis qu'elle marchait vers moi, s'asseyait sur le canapé bizarrement glissant de la salle commune et m'entourait de ses bras. Dès que je sentis la pression de ses doigts sur mes bras, l'étouffante sécheresse du cocon antipsychotique dans lequel je m'étais réfugiée se brisa et je sanglotai à grand bruit. Bea me berçait et me caressait la tête. Mia, disait-elle, ma Mia. Lorsque Daisy vint me voir pour la deuxième fois, j'étais saine d'esprit. La ruine avait été au moins en partie réparée, et je ne gémis pas devant elle.

Crises de larmes, hurlements, cris perçants et rires sans cause n'avaient rien d'extraordinaire dans ce service et passaient pour la plupart inaperçus. La folie est un état de profonde absorption en soi-même. Il faut un effort extrême rien que pour savoir où on en est, et le tournant vers la guérison se produit dès l'instant où une parcelle du monde est autorisée à entrer, quand une personne ou un objet franchit la barrière. Le visage de Bea. Le visage de ma sœur.

Ma dépression nerveuse peinait Bea, mais je craignais qu'elle ne tue ma mère. Ce ne fut pas le cas.

Assise en face d'elle dans le petit appartement, je me dis soudain que ma mère était pour moi un lieu tout autant qu'une personne. La maison de famille d'époque victorienne, au coin de Moon Street, où mes parents avaient habité quarante années durant, avec ses salons spacieux et son labyrinthe de chambres à coucher à l'étage, avait été vendue après la mort de mon père et, quand je passais devant, le chagrin de l'avoir perdue m'affligeait autant que si j'avais encore été une enfant incapable de comprendre que quelque parvenu occupe ses lieux familiers. Mais c'était en ma mère elle-même que je me sentais à la maison. Il n'y a pas de vie sans un sol, sans un sentiment de l'espace qui n'est pas seulement extérieur mais intérieur aussi – les lieux mentaux. Pour moi, la folie avait constitué une suspension. Quand Boris s'en fut de cette manière abrupte promener ailleurs son corps et sa voix, je me mis à flotter. Un jour, il laissa échapper son désir d'une *pause*, et ce fut tout. Sans doute avait-il médité sa décision, mais je n'avais eu aucune part à ses réflexions. Un homme sort acheter des cigarettes et ne revient jamais. Un homme dit à sa femme qu'il va faire un tour et ne rentre pas à la maison pour dîner – plus jamais. Un jour d'hiver, l'homme s'est levé et est parti, point. Boris n'avait pas exprimé son insatisfaction, il ne m'avait jamais dit qu'il ne voulait plus de moi. Ça l'avait pris, comme ça. Qui étaient ces hommes ? Après m'être reconstituée grâce à l'aide de "professionnels", je retournai vers un territoire plus ancien, plus fiable, vers le Pays de M.

Il est vrai que le monde de maman avait rétréci, et elle avait rétréci avec lui. Elle mangeait trop peu, me disais-je. Laissée à elle-même, elle composait de grandes assiettées de carottes, poivrons et concombres crus avec, éventuellement, un minuscule morceau de poisson, de jambon ou de fromage. Pendant des années, cette femme avait cuisiné et fait de la pâtisserie comme pour nourrir un régiment et conservé ses préparations à la cave, dans un gigantesque congélateur. Elle avait cousu nos robes, reprisé nos bas de laine et astiqué les cuivres à les rendre aussi étincelants que des astres. Elle avait présenté le beurre en coquilles lors des repas de fête, composé des bouquets de fleurs, étendu et repassé les draps qui, quand on y dormait, sentaient le propre et le soleil. Elle avait chanté pour nous le soir, nous avait prodigué des lectures édifiantes, avait censuré certains films et défendu ses filles contre des institutrices incompréhensives. Et, quand nous étions malades, elle installait pour l'enfant souffrante un lit sur le sol auprès d'elle, pendant qu'elle faisait le ménage. J'adorais être malade auprès de maman, pas si je vomissais ou me sentais vraiment mal, sans doute, mais si j'étais en train de me remettre peu à peu. J'aimais être couchée dans le lit spécial et sentir sur mon front la main de maman, qu'elle passait alors dans mes cheveux humides de transpiration afin de sentir si j'avais de la fièvre. J'aimais sentir le mouvement de ses jambes auprès de moi, écouter sa voix qui prenait cette intonation particulière destinée à la malade, chantante et tendre, qui m'aurait inspiré l'envie de ne pas guérir, de rester à jamais là, sur cette petite couche, pâle, romantique et pathétique, à moitié moi, à moitié actrice en pâmoison, mais toujours en sécurité dans l'orbite de ma mère.

Quelquefois, désormais, ses mains tremblaient dans la cuisine et une assiette ou une cuiller tombaient soudain par terre. Ses tenues vestimentaires étaient toujours élégantes, immaculées, mais les taches, froissements et chaussures imparfaitement cirées lui inspiraient une inquiétude terrible, chose dont je ne me souvenais pas du temps de mon enfance. Je crois qu'elle avait intériorisé la maison impeccable, remplacée par des vêtements impeccables. Sa mémoire avait des défaillances, mais uniquement s'il s'agissait d'incidents récents ou de phrases qui venaient d'être prononcées. Elle se souvenait des premiers temps de sa vie avec une acuité quasi surnaturelle. Au fur et à mesure qu'elle prenait de l'âge, j'en faisais plus et elle en faisait moins, mais cette évolution de nos rapports semblait mineure. Bien que l'infatigable championne des arts ménagers eût disparu, la femme qui avait installé un petit lit pour garder auprès d'elle ses enfants malades était assise en face de moi, non diminuée.

"J'ai toujours pensé que tu réagissais trop fort, dit-elle, reprenant un thème familial, que tu étais exagérément sensible, une princesse sur un petit pois, et maintenant, avec Boris..." L'expression de son visage devint rigide. "Comment a-t-il pu ? Il a plus de soixante ans. Il doit être fou..." Elle me lança un regard et se plaqua la main sur la bouche.

Je ris.

"Tu es encore belle, dit ma mère.

— Merci, maman." La remarque était sûrement destinée à Boris. Comment pouvait-on abandonner

l'*encore belle* ? "Je voudrais que tu saches, po
suivis-je, en réponse à rien, que les médecins estiment que je suis guérie, que cela peut arriver et puis ne plus jamais arriver. Ils estiment que je suis revenue à moi – une légère névrose de rien du tout, pas plus.

— Je pense que cela te fera du bien de donner ce petit cours. Est-ce que tu t'en réjouis un peu ?" Sa voix se brisait d'émotion – espoir mêlé d'inquiétude.

"Oui, répondis-je, bien que je n'aie jamais enseigné à des enfants."

Après un silence, ma mère demanda : "Tu crois que ça va lui passer, à Boris ?"

Le "ça", en réalité, était un "elle", mais j'appréciai le tact de ma mère. Nous ne lui donnerions pas de nom. "Je ne sais pas, dis-je. Je ne sais pas ce qui se passe en lui. Je ne l'ai jamais su."

Ma mère hocha la tête d'un air triste, comme si elle savait tout cela, comme si cet accident dans ma vie de couple faisait partie d'un scénario universel dont elle avait depuis longtemps connaissance. Maman, la Sage. Les échos de significations ressenties parcouraient, tel un courant, son corps menu. Cela n'avait pas changé.

En m'en allant par le couloir de Rolling Meadows est, je me surpris à fredonner et puis à chanter doucement :

> *Scintillez, scintillez, petite pipistrelle*
> *Qui doucement venez nous frôler de votre aile*
> *Dans le crépuscule où, sans bruit, vous voletez,*
> *Scintillez, scintillez, comme un plateau à thé*[1].

1. Cette version fantaisiste d'une célèbre *nursery rhyme* est récitée par le Chapelier Fou au chapitre VII d'*Alice au pays des merveilles*, de Lewis Carroll, dans la traduction d'Henri Parisot. *(Toutes les notes sont de la traductrice.)*

i mes matinées en cette première se-
ravaillais tranquillement à mon nou-
ı puis je lisais quelques heures avant
ma mère, l'après-midi, et nos longues
ns. Je l'écoutais raconter ses histoires
sur Boston et mes grands-parents, sur le quotidien idyllique de son enfance bourgeoise, perturbé de temps à autre par son frère Harry, un diablotin, pas un révolutionnaire, qui était mort de la polio à douze ans quand ma mère en avait neuf et avait bouleversé son univers. Elle s'était promis, ce jour-là, en décembre, d'écrire tout ce dont elle se souviendrait au sujet de Harry, et elle le fit durant des mois. "Harry ne pouvait pas s'empêcher de bouger les jambes. Il n'arrêtait pas de les balancer contre les pieds de sa chaise au petit-déjeuner. – Harry avait sur le coude une tache de rousseur qui ressemblait à une petite souris. – Je me rappelle que Harry a un jour pleuré dans le placard pour que je ne le voie pas."

Je préparais à dîner pour maman presque tous les soirs chez moi ou chez elle, je la nourrissais bien, viande, pommes de terre et pâtes, et puis je revenais en marchant dans l'herbe mouillée à la maison louée où j'enrageais toute seule. *Sturm und Drang*. De qui était cette pièce ? Friedrich von Klinger. Kling. Klang. Bang. Mia Fredricksen en révolte contre le Stresseur. *Storm and Stress*. Larmes. Oreiller malmené. Femme monstre explose dans l'espace et éclate en petits morceaux qui s'éparpillent et se déposent sur la petite ville de Bonden. Le grand théâtre de Mia Fredricksen en plein tourment sans autre public que les murs, pas son Mur à elle, pas Boris Izcovitch, traître, salaud et bien-aimé. Pas Lui. Pas B. I. Sommeil impossible sinon sous sédatifs et leur oubli sans rêves.

“Les nuits sont dures, dis-je. Je n’arrête pas de penser à notre couple.”

J’entendais la respiration du Dr S. “Quel genre de pensées ?

— Fureur, haine et amour.

— Voilà qui est succinct”, dit-elle.

Je me la figurais souriante, mais j’insistai : “Je le déteste. J’ai reçu un courriel : «Comment vas-tu, Mia ? Boris.» J’avais envie de lui renvoyer un gros crachat.

— Boris se sent probablement coupable, ne croyez-vous pas ? Et inquiet. A mon avis, il est embarrassé, aussi, et d’après ce que vous m’avez raconté, Daisy a été très en colère contre lui, et cela doit le toucher au plus profond. Il est évident que ce n’est pas quelqu’un qui est à l’aise avec le conflit. Il y a des raisons à cela, Mia. Pensez à sa famille, à son frère. Pensez au suicide de Stefan.”

Je ne répondis pas. Je me rappelais la voix éteinte de Boris au téléphone me disant qu’il avait trouvé Stefan mort. Je me rappelais les mots “appeler le plombier” sur un post-it au mur de la cuisine, et chacune des lettres de ce pense-bête avait quelque chose d’incongru, comme si ce n’était pas de l’anglais. Cela n’avait aucun sens, mais la voix dans ma tête était coupante, réaliste : *Tu dois téléphoner à la police et aller le rejoindre tout de suite.* Ni confusion, ni panique, mais la conscience que cette chose terrible était arrivée et que je me sentais ferme. C’est arrivé ; c’est vrai. Tu dois agir, tout de suite. Il y avait des gouttes de pluie sur les vitres du taxi, et puis de soudaines coulées d’eau à travers lesquelles j’apercevais les immeubles noyés de brume du centre-ville, et puis la plaque de rue, N. Moore, si ordinaire, si familière. L’ascenseur avec ses panneaux gris et froids, le son grave de la sonnette au troisième étage. Stefan pendu. Le mot *non*. Et puis de nouveau. *Non*. Boris dans la salle de bains en train de vomir. Ma main qui lui caresse la tête, le prend fermement aux épaules. Il ne pleurait pas ; il grondait dans mes bras comme un animal blessé.

"C'était terrible, dis-je d'une voix sans timbre.

— Oui.

— Je me suis occupée de lui. Je l'ai soutenu. Qu'est-ce qu'il aurait fait si je n'avais pas été là ? Il s'était pétrifié. Je l'ai nourri. Je lui ai parlé. J'ai toléré son silence. Il refusait de se faire aider. Il allait au labo, menait les expériences, rentrait à la maison et redevenait de pierre. Quelquefois j'ai peur de m'incinérer moi-même de colère. Je vais exploser, tout simplement. Je vais à nouveau m'effondrer.

— Exploser n'est pas la même chose que s'effondrer et, ainsi que nous l'avons déjà dit, même l'effondrement peut avoir une utilité, un sens. Vous avez longtemps pris sur vous, mais tolérer des fêlures, cela fait partie de la santé et de la vie. Je crois que c'est ce que vous faites. Vous ne me semblez pas avoir si peur de vous-même.

— Je vous aime, docteur S.

— Je suis heureuse de l'entendre."

J'entendis l'enfant avant de la voir : une petite voix venant de derrière un buisson. "Je vous mets au jardin, voilà, et faut pas faire les idiots ni les zozos, mes cocos… Absolument pas ! Ploc, ici, ici. Oui, regardez, une colline pour vous. Des arbres pissenlits. Un tout petit peu de vent. Bon, les amis, une maison."

De la chaise longue où j'étais installée en train de lire, je vis apparaître une paire de courtes jambes nues ; elles firent deux pas et tombèrent à genoux sur le sol. L'enfant partiellement visible tenait un seau en plastique vert, qu'elle renversa par terre.

J'aperçus une maison de poupées rose et une foule de figurines, en dur et en peluche, de dimensions variées, et puis la tête de la fillette, qui me donna un choc avant que je ne comprenne qu'elle portait une sorte de perruque de cheveux en pétard, un embrouillamini de nœuds couleur platine qui me fit penser à un Harpo Marx électrocuté. Le commentaire reprit : "Tu peux entrer, Raton, et toi aussi, Tinounours. Voilà, parlez ensemble. Un peu de vaisselle." Sortie au pas de course, retour en trombe, semis de minuscules tasses et assiettes sur le gazon. Aménagements précipités suivis de bruits de mastication, de claquements de lèvres et de rots simulés. "C'est pas poli de roter à table. Regardez, il arrive, c'est Giraffet. Y a de la place pour toi ? Glisse-toi ici." Giraffet manquant de place, sa manipulatrice prit le parti de l'installer tête et cou dans la maison, corps au-dehors.

Je retournai à mon livre mais la voix de l'enfant m'en arrachait de temps à autre par de courtes exclamations et des chantonnements sonores. Un bref silence fut suivi par une lamentation soudaine : "Dommage que je suis réelle, je peux pas entrer et vivre pour de vrai dans ma petite maison !"

Je me souvenais, je me souvenais de ce monde liminaire du Presque, où les souhaits étaient quasi réels. Se pouvait-il que mes poupées bougent la nuit ? La cuiller s'était-elle déplacée toute seule d'une fraction de centimètre ? Mon espoir l'avait-il enchantée ? Le réel et l'irréel, tels des miroirs jumeaux, si proches l'un de l'autre que tous deux respiraient, leur souffle vivait. Quelque crainte, aussi. Il fallait frôler la sensation inconfortable que les rêves avaient débordé des limites du sommeil et surgi à la lumière du jour. T'aimerais pas, disait Bea, si le plafond était le plancher ? T'aimerais pas si on pouvait... ?

Plantée à cinq pas de moi, la fillette m'observait gravement : une petite personne potelée et solide de trois ou quatre ans, avec un visage rond et de grands yeux sous la perruque saugrenue. D'une main serrée autour du cou, elle tenait Giraffet, une créature marquée par la vie, qui semblait avoir grand besoin d'une hospitalisation.

"Bonjour, dis-je. Comment t'appelles-tu ?"

Elle secoua vigoureusement la tête, gonfla les joues, se détourna soudain et s'enfuit.

Dommage que je suis réelle, pensai-je.

Mon accès de trac avant ma rencontre avec les sept adolescentes composant ma classe de poésie me paraissait ridicule et, pourtant, je sentais la contraction de mes poumons, j'entendais ma respiration superficielle, le souffle bref de mon angoisse. Je m'admonestai sévèrement. Il y a des années que tu enseignes l'écriture à des étudiants en troisième cycle et, ici, ce ne sont que des enfants. De plus, tu aurais dû savoir qu'à Bonden, aucun garçon qui se respecte ne s'inscrirait à un atelier de poésie, que par ici, en province, poésie signifie fragilité, poupées et douairières. Pourquoi t'attendrais-tu à attirer autre chose que quelques gamines nourrissant de vagues fantasmes, probablement sentimentaux, à propos de l'écriture de poèmes ? Qui étais-je, d'ailleurs ? J'avais mon prix Doris, et j'avais mon doctorat en littérature comparée et mon boulot à Columbia, signes extérieurs de respectabilité à offrir comme preuves que mon échec n'était pas complet. Mon problème, c'était qu'en moi l'intérieur avait touché l'extérieur. Après mon effondrement, j'avais perdu cette confiance allègre dans les rouages de ma propre intelligence, la conscience qui m'était venue parfois vers la fin de la quarantaine que je pouvais bien rester ignorée, mais que j'étais capable de réfléchir mieux qu'à peu près n'importe qui, que la masse de mes lectures avait fait de mon cerveau une machine à synthétiser pouvant invoquer d'un même souffle la philosophie, la science et la littérature. Je me remontai à l'aide d'une liste de poètes (plus ou moins) fous : le Tasse, John Clare, Christopher Smart, Friedrich Hölderlin, Antonin Artaud, Paul Celan, Randal Jarrell, Edna St. Vincent Millay, Ezra Pound, Robert Fergusson, Velemir Khlebnikov, Georg Trakl, Gustaf Fröding, Hugh MacDiarmid, Gérard de Nerval, Edgar Allan Poe, Burns Singer, Anne Sexton, Robert Lowell, Theodore Roethke, Laura Riding, Sara Teasdale, Vachel Lindsay, John Berryman, James Schuyler, Sylvia Plath, Delmore Schwartz... Revigorée par la renommée de mes frères et sœurs en démence, en dépression et autres hallucinations, j'enfourchai ma bicyclette et m'en fus rencontrer les sept fleurs poétiques de Bonden.

En regardant mes élèves autour de la table, je me calmai. Ce n'étaient en effet que des enfants. Les réalités absurdes mais poignantes de ces filles à l'orée de la vie s'imposèrent immédiatement à moi, et ma sympathie à leur égard faillit m'étouffer. Peyton Berg, plus grande que moi de plusieurs centimètres, très maigre, dépourvue de seins, ne cessait d'ajuster ses bras et ses jambes comme si ces membres lui étaient étrangers. Jessica Lorquat était menue, mais elle avait le corps d'une femme. Il flottait autour d'elle une fausse atmosphère de féminité, qui se manifestait surtout par une affectation – une voix de bébé roucoulante. Ashley Larsen, cheveux bruns et lisses, yeux légèrement globuleux, marchait et s'asseyait avec cet air conscient de soi qui accompagne l'acquisition récente d'une zone érogène – elle bombait le torse afin d'exposer sa poitrine en boutons. Emma Hartley s'effaçait derrière un voile de cheveux blonds, avec un sourire timide. Nikki Borud et Joan Kavacek, dodues et bien en voix, toutes deux, semblaient fonctionner en tandem, tel un seul individu maniéré et gloussant. Alice Wright, jolie, grandes dents appareillées, était en train de lire quand j'arrivai et continua paisiblement jusqu'à ce que le cours commence. Lorsqu'elle referma son livre, je vis que c'était *Jane Eyre* et je ressentis de l'envie, l'envie des premières découvertes.

Au moins l'une d'entre elles s'était mis du parfum, lequel, par cette chaude journée de juin et mêlé à la poussière de la salle, me fit éternuer deux fois. Jessica, Ashley, Nikki et Joan étaient vêtues pour tout autre chose qu'un atelier de poésie ; ornées de longs pendants d'oreilles, de brillant à lèvres, d'ombre à paupières et de t-shirts imprimés de messages, exposant des ventres nus de formes et dimensions diverses, elles étaient entrées dans la pièce en paradant plus qu'en marchant. La Bande des Quatre, songeai-je. Le confort, la sécurité, le groupe.

Je fis mon laïus, alors. “Il n'y a pas de règles, leur dis-je. Pendant six semaines, trois jours par semaine, nous allons danser, danser avec les mots. Rien n'est interdit – ni pensée, ni sujet. Absurdités, stupidités, sottises en tous genres sont autorisées. La grammaire, l'orthographe, rien de tout cela ne compte, du moins au début. Nous lirons des poèmes, mais vos poèmes n'ont pas besoin de ressembler à ceux que nous lirons.”

Les sept gardèrent le silence.

“Vous voulez dire qu'on peut écrire à propos de *n'importe quoi* ? lâcha Nikki. Même des trucs répugnants ?

— Si c'est ça que vous voulez, répondis-je. En fait, essayons ce mot, *répugnant*, comme déclencheur."

Après une brève explication de ce qu'est l'écriture automatique, je leur fis écrire leur réaction à *répugnant*, tout ce qui leur passerait par la tête pendant un intervalle de dix minutes. Caca, pipi, morve et vomi apparurent sous plusieurs crayons en ordre serré. Joan y ajouta "le sang des règles", ce qui suscita de petits fous rires et exclamations, et me fit me demander combien d'entre elles avaient passé ce seuil. Peyton disserta sur les bouses de vache. Emma, incapable apparemment de se laisser aller, s'en tint à des oranges et des citrons moisis et Alice, qui vivait manifestement dans le royaume des incurables amateurs de livres, écrivit : "Aiguisé, cruel, pointu, comme des couteaux effilés dans ma chair tendre", phrase qui provoqua chez Nikki des yeux levés au ciel et un regard lancé à Joan en quête de confirmation, laquelle arriva aussitôt sous forme de ricanement.

Cet échange de regards dénigrants me toucha au cœur, tel un minuscule coup d'épingle, et j'observai à haute voix que *répugnant* était un mot qui ne s'appliquait pas qu'à des objets de dégoût, qu'il existait des propos *répugnants*, des pensées *répugnantes* et des gens *répugnants*. Il n'y eut aucune objection et, après d'autres paroles, gloussements embarrassés et questions, je leur recommandai de confier leur travail à un seul et même cahier, leur demandai de s'entraîner chez elles à l'écriture rapide avec le mot *froid*, et les laissai partir.

La Bande des Quatre sortit en tête, Peyton et Emma sur les talons. Alice s'attardait devant la table et glissait son livre dans un grand sac de toile avec soin et une sorte d'embarras. Alors j'entendis Ashley appeler Alice d'une voix aiguë et crispée : "Alice, tu viens pas avec ?" (*Avec* est, chez nous, une préposition autorisée à rester en suspens, non accompagnée d'un nom ou d'un pronom.) Je regardai Alice et vis son visage changer. Elle eut un bref sourire et, ramassant son cahier sur la table, courut avec empressement vers les autres. Combinée avec le ton d'Ashley, la joie non déguisée d'Alice avait, pour la seconde fois en une heure, touché en moi un point sensible, plus physique que cérébral. Cela m'avait ramenée à une version jeune et désespérément sérieuse de moi-même, une gamine qui ne possédait ni la distance de l'ironie ni le don de dissimuler ses émotions. Tu ES trop sensible. Ces deux minuscules échanges entre filles m'obsédèrent jusqu'au soir, telle une vieille et ennuyeuse mélodie qui m'aurait trotté dans la tête, une mélodie que je n'avais jamais souhaité réentendre, je le comprenais à présent.

Ces jeunes filles et leurs corps en fleur peuvent avoir constitué un catalyseur indirect du projet dans lequel je me lançai le soir même. Ce fut un moyen méthodique de chasser les démons qui arrivaient chaque nuit, tous nommés Boris et tous armés de couteaux de longueurs variées. Le fait que j'eusse passé la moitié de ma vie avec cet homme ne signifiait pas qu'il n'eût jamais existé une période avant Boris (dorénavant désignée comme suit : av. B.). Il y avait eu, aussi, des expériences sexuelles en cette lointaine période voluptueuse, cochonne, douce et triste. Je décidai de cataloguer mes aventures et mésaventures charnelles dans un cahier vierge, d'en profaner les pages avec mon histoire pornographique personnelle et de m'efforcer d'y gommer toute trace de mari. Les Autres, espérais-je, détourneraient mes pensées de l'Unique.

1.

Avais-je six ou sept ans ? Je dirais six, mais ce n'est pas certain. La maison de mes oncle et tante à Tidyville. Mon grand cousin Rufus vautré sur le canapé. Si j'avais six ans, il en avait douze. D'autres membres de la famille, je m'en souviens, allaient et venaient du dedans au dehors. C'était l'été. La lumière du soleil entrait par la fenêtre, grains de poussière visibles, un ventilateur tournant dans un coin. Comme je passe près du canapé, Rufus m'attire sur ses genoux, rien d'inhabituel. Nous sommes cousins. Il commence à me caresser, ou plutôt à me pétrir entre les jambes comme si j'étais de la pâte à pain, et une étrange sensation chaude me gagne, combinaison d'une vague excitation et d'un sentiment que ce n'est pas tout à fait permis. Je mets mes mains sur ses genoux, pousse un bon coup, tombe de ses cuisses sur le sol et m'en vais. Ce tripotage furtif doit compter comme ma première expérience sexuelle. Je ne l'ai jamais oubliée. Bien qu'elle n'ait rien eu de traumatique, c'était une nouveauté, une curiosité qui a laissé une empreinte nette dans ma mémoire. Ma vision de l'événement, dont je n'ai jamais parlé à personne, Boris excepté, correspond certainement à ce que Freud (par le truchement de ses traducteurs) appelait "l'après-coup" – le fait que des souvenirs anciens se chargent de significations différentes au fur et à mesure que l'on vieillit. Si je ne m'étais pas échappée aussi vite, si je n'avais pas été capable de conserver le sens de ma propre volonté, ces attouchements auraient pu me marquer. Aujourd'hui, ce serait considéré comme un délit et, si on le surprenait, un gamin comme Rufus pourrait être envoyé en prison ou soumis à un traitement pour agresseurs sexuels. Rufus est devenu dentiste, il est aujourd'hui spécialiste des implants. La dernière fois que je l'ai vu, il trimballait un magazine intitulé *Implantology*.

2.
Lucy Pumper me déclare, dans le bus scolaire : "Je sais qu'ils doivent le *faire* pour avoir des enfants, mais est-ce qu'ils doivent enlever *tous* leurs habits ?" Lucy était catholique – catégorie exotique : encens, soutanes, crucifix, chapelet (autant d'objets de convoitise) – et elle avait huit frères et sœurs. Je m'inclinais devant la supériorité de son savoir. Moi, de mon côté, je ne voyais qu'obscurément dans ce miroir-là et n'avais rien à dire. J'avais neuf ans, et je comprenais parfaitement que, si je m'y appliquais suffisamment, je finirais bien par découvrir un quelconque reflet mais, quand je regardais devant moi, je n'avais aucune idée de ce que j'y voyais. *Tous* leurs habits ?

Note marginale : j'ai promis de ne pas le faire, mais je n'y peux rien. Il avait les cheveux bruns, alors, presque noirs, et pas de chair flasque sous le menton. Assis en face de moi à la table de la pâtisserie hongroise, il m'expliquait ses recherches avec lenteur et lucidité, et il dessinait un modèle sur sa serviette à l'aide de son stylo bille. Je me penchai en avant pour le regarder, suivis du doigt une des lignes qu'il avait tracées et levai les yeux vers lui. Atmosphère électrique. Il posa la main sur la mienne et pressa mes doigts contre la table, mais c'est entre mes jambes que je le sentis. Je sentis ma mâchoire relâchée et ma bouche béante. C'était merveilleux, mon amour, n'est-ce pas ? Dis, n'est-ce pas ?

Je hurle : Pendant toutes ces années tu es passé en premier ! Toi, jamais moi ! Qui faisait le ménage, s'occupait des devoirs pendant des heures, se tapait les courses ? Toi ? Foutu maître de l'univers ! *Übermensch* phallique parti à un congrès. Les corrélats neuronaux de la conscience ! Ça me fait vomir !

Pourquoi es-tu toujours si en colère ? Qu'est devenu ton sens de l'humour ? Pourquoi récris-tu notre vie ?

Je me rappelle des morceaux, des parties,
une chaise sans la chambre,
une phrase envolée, un cri, une scène floue,
des crises hippocampiques
évoquant David Hume,
son Moi aussi pâle et maigre et spectral
que le mien.

Chère maman,

Je pense à toi tous les jours. Comment va grand-mère ? On arrête la pièce en août, et je viendrai alors te voir pendant toute une semaine. J'adore jouer Muriel. Elle est super – un grand rôle et, enfin, de la comédie ! Les gens ont beaucoup ri. J'ai dit à Freddy que les scripts étaient affreux, mais il continue à m'envoyer passer des auditions pour ces abominables films où on torture et on tue la fille. Pouah ! Le théâtre essaie de trouver de l'argent, mais ce n'est pas facile ici au bout du bout du bout du monde. Jason va bien, sauf qu'il déteste mon emploi du temps.

J'ai vu papa à midi, mais ça ne s'est pas trop bien passé. Maman, je m'en fais beaucoup pour toi. Tu vas bien ? Je t'aime tant.

Ta Daisy à toi.

J'envoyai à ma Daisy à moi un message rassurant.

"Ce n'était pas facile d'être mariée avec ton père, dit ma mère.

— Non, fis-je. Je m'en doute."

Ma mère était assise dans un fauteuil, ses genoux maigres entourés de ses bras. Je songeai à part moi que, même si l'âge l'avait rétrécie, il l'avait aussi rendue plus intense, comme si le fait qu'il restât peu de temps avait eu pour effet de supprimer toute espèce de graisse – physique et mentale.

"Le golf, le droit, les mots croisés, les martinis.

— Dans cet ordre ?" Je lui souris.

"C'est bien possible." Ma mère soupira et tendit un bras pour ôter une feuille morte d'une plante en pot sur la table à côté d'elle. "Je ne t'en ai jamais parlé, reprit-elle, mais, quand tu étais encore petite, je crois que ton père est tombé amoureux de quelqu'un d'autre."

Je repris mon souffle. "Il a eu une liaison ?"

Ma mère secoua la tête. "Non, je ne crois pas qu'il ait couché avec elle. Sa rectitude était absolue, mais le sentiment était là.

— Il t'en a parlé ?

— Non. J'ai deviné."

Telles étaient les voies détournées de la vie conjugale, du moins entre mes parents. Les confrontations directes, de quelque espèce que ce fût, avaient été extrêmement rares. "Mais il l'a admis.

— Non, il n'a ni confirmé ni nié." Ma mère serra les lèvres. "Il trouvait très difficile, tu sais, de me parler de n'importe quoi de douloureux. Il disait : Je t'en prie, je ne peux pas. Je ne peux pas."

Pendant qu'elle parlait, une image mentale de mon père me vint soudain à l'esprit. Je le voyais assis, de dos, en train de regarder le feu en silence, un recueil de mots croisés à ses pieds. Ensuite je le vis couché dans son lit d'hôpital, longue silhouette squelettique à la dérive, sous morphine, inconscient. Je revis ma mère le toucher au visage. D'abord d'un seul doigt, comme si elle dessinait ses traits directement sur son corps : une ébauche muette de la figure de son mari. Mais alors elle appuya les paumes sur son front, ses joues, ses yeux, son nez et son cou, comme une aveugle tentant désespérément de mémoriser un visage. Ma mère, à la fois solide et brisée, les lèvres serrées, les yeux écarquillés par un sentiment d'urgence, se mettant à lui agripper les épaules, les bras et enfin le torse. Me détournant de cette intime revendication, de cette expression toute possessive du temps passé, je sortis de la chambre. Quand j'y rentrai, mon père était mort. Il semblait plus jeune, une fois mort, lisse et indéchiffrable. Elle était assise dans l'obscurité, les mains jointes sur ses genoux. D'étroites bandes de lumière venues des stores vénitiens lui traçaient des raies sur le front et les joues, et je ressentis de l'effroi, rien d'autre que de l'effroi en cet instant.

En réponse à mon silence, ma mère reprit. "Je te raconte ça maintenant, dit-elle, parce que j'ai parfois regretté qu'il n'ait pas pris le risque, qu'il ne se soit pas lancé. Il aurait évidemment pu s'enfuir avec elle, et puis, aussi, il aurait pu se fatiguer d'elle…" Elle poussa un profond soupir, une longue exhalaison tremblante. "Il m'est revenu, sentimentalement, je veux dire, dans la mesure où cela lui était possible. Ça a duré quelques années – la distance – et puis je crois qu'il n'a plus pensé à elle ou que, s'il l'a fait, elle avait perdu son pouvoir.

— Je vois", dis-je. Je voyais, en effet. La Pause. Je m'efforçai de me rappeler le sonnet 129. Cela commence ainsi : "Energie dépensée dans une orgie de honte", et puis les vers sur la luxure, "la luxure en acte". Quelque part, les mots "assassine, sanglante, ignominieuse"…

Aussitôt assouvie, aussitôt méprisée ;

Quelque chose, quelque chose… et puis :

Enragée dans la chasse comme en la possession,
Extrême avant, pendant et après la jouissance,

Un bonheur à l'essai ; essayée, vrai malheur ;
Avant, joie attendue, mais après coup un rêve.
Le monde le sait bien, mais nul homme ne sait
S'écarter de ce ciel qui mène à cet enfer[1].

"Qui était-ce, maman ?

— C'est important ?"

Je mentis : "Non, peut-être pas.

— Elle est morte, dit ma mère. Il y a douze ans qu'elle est morte."

Ce soir-là, comme je tournais la clé dans la serrure, je sentis une présence de l'autre côté de la porte, un être lourd, menaçant, palpable, vivant, juste là, debout comme moi, et la main levée. Je m'entendais respirer sur le seuil, sentais sur mes bras nus la fraîcheur de l'air nocturne, j'entendis démarrer le moteur d'une voiture solitaire non loin de là, mais je ne bougeai pas. L'autre non plus. Des larmes idiotes me vinrent aux yeux. J'avais senti le même corps pesant, des années auparavant, au pied de l'escalier de notre maison, un Echo en attente. Je comptai jusqu'à vingt, m'attardai pendant vingt secondes encore et puis j'ouvris la porte d'une poussée vigoureuse et allumai la lumière, pour me trouver face au vide rationnel du vestibule. Plus rien. Cette chose n'était pas une superstition, ni une vague appréhension, c'était une conviction ressentie. Pourquoi était-ce revenu ? Fantômes, diables et doubles. Je me rappelais avoir parlé à Boris de cette présence en attente, invisible mais dense, et ses yeux avaient brillé d'intérêt. C'était au temps lointain où il m'aimait, avant que la lueur dans ses

1. Shakespeare, sonnet 129, traduction de Robert Ellrodt, Babel n° 847.

yeux ne s'éteigne, avant la mort de Stefan, le petit frère qui bondissait et s'écrasait, si intelligent, ô Dieu, le jeune philosophe qui les avait épatés, à Princeton, qui les avait fait trembler, qui aimait bavarder avec moi, pas seulement avec Boris, qui lisait mes poèmes, qui me tenait la main, qui est mort avant d'avoir pu venir me voir à l'hôpital où il avait, lui aussi, atterri entre ses envols au paradis et ses plongeons en enfer. Je te hais pour ce que tu as fait, Stefan. Tu savais qu'il te trouverait. Et tu devais savoir qu'il m'appellerait et que je viendrais le rejoindre. Pendant une demi-seconde, je revis la mare d'urine et d'excréments désagrégés qui souillaient le plancher. *Non.*

Arrête de penser à ça. Ne pense pas à ça. Retourne à la présence.

Boris m'avait parlé des présences. Karl Jaspers, *wunder Mensch*, avait donné à ce phénomène le nom de *leibhaftige Bewusstheit* et quelqu'un d'autre, un Français, sans doute, celui d'*hallucination du compagnon**[1]. Ai-je été folle, aussi, quand j'étais petite ? cinglée pendant un an ? Non, pas une année entière, quelques mois, ces mois de cruauté, quand je sentais la Chose en train de m'attendre au bas de l'escalier. "Pas nécessairement folle", m'avait dit Boris de sa voix épaissie par les cigares, et puis il avait souri. Des présences, expliqua-t-il, ont été ressenties par des patients, tant dans les services de psy que dans ceux de neurologie, et également par des gens ordinaires. Oui, des hordes d'innocents qui n'ont pas fait l'objet d'un diagnostic, juste comme vous, Cher Lecteur, et dont les cerveaux ne sont ni fêlés, ni déglingués, ni réduits en mille morceaux, mais simplement sujets à une ou deux bizarreries.

1. Les mots ou expressions en italique suivis d'un astérisque sont en français dans le texte.

Etendue sur le canapé, délivrée de toute présence, je fis de gros efforts pour raviver mes souvenirs, pour exhumer les lointaines cruautés de la classe de sixième “avec calme et objectivité”, comme on dit à la télévision et dans les mauvais livres. Il y avait eu un complot, ou plusieurs complots, mot grandiose pour les actions de petites filles, mais l’âge des exécutants ou le lieu de l’intrigue importent-ils réellement ? Cour de récréation ou cour royale ? Les affaires humaines ne sont-elles pas pareilles ?

Comment cela avait-il commencé ? Lors d’une pyjama-party. Des fragments seulement. Une chose est certaine : je n’avais pas envie d’inspirer jusqu’à l’évanouissement, d’engloutir de l’air encore et encore pour me projeter à plat ventre sur le matelas. C’était stupide, et le visage livide de Lucy m’avait fait peur.

“Fais pas ta poule mouillée, Mia. Allez, vas-y.” Gémissements complices.

Non. Je ne le ferais pas. Pourquoi voudrait-on s’évanouir ? Je me sentais trop vulnérable. Je n’aimais pas la sensation de vertige.

Les filles chuchotent près de moi. Oui, je les entends, mais je ne comprends pas. Mon sac de couchage était bleu avec une doublure écossaise. Ça, je m’en souviens très bien. Je suis fatiguée, si fatiguée. Il est question d’*aim*, viser, de viser quelqu’un, de pointer un couteau. Une blague sibylline.

Je ris avec elles, ne voulant pas rester hors du coup, et les filles rient de plus belle. C’est mon amie Julia qui rit le plus fort. Je m’endors après cela. Petite fille ignorante et perdue.

Le petit mot, en classe : “AIM, ongles sales et cheveux roux et gras. Lave-toi, petite cochonne.” Je vis tout à coup mon nom inversé. Mia en Aim.

“Mes ongles sont propres et mes cheveux aussi.”

Bourrasque de rires. Tempête de gloussements issus du groupe, me précipitant dans un trou. Ne dis rien. Fais semblant de ne rien entendre ni voir.

Le pinçon dans l'escalier.

"Arrête de me pincer."

Le visage de Julia reste sans expression. "Qu'est-ce qui te prend ? Je t'ai pas touchée. T'es cinglée."

Encore des pinçons subreptices, "imaginés" par moi, dans le vestiaire des filles.

Pleurs dans les toilettes.

Et puis, la plupart du temps, je n'existe pas.

Rejeter, exclure, ignorer, excommunier, exiler, éjecter. La douche froide. Le traitement par le silence. Réclusion solitaire. Temps mort.

A Athènes, on avait officialisé l'ostracisme afin de se débarrasser de ceux qu'on soupçonnait d'avoir accumulé un trop grand pouvoir ; le mot vient d'*ostrakon*, qui signifie "tesson". On inscrivait les noms des hommes devenus menaçants sur des morceaux de poterie cassée. *Tessons de mots*. Les tribus pathanes, au Pakistan, exilent leurs membres renégats, les expédient vers un poussiéreux nulle-part. Les Apaches ignorent les veuves. Ils craignent les paroxysmes de chagrin et prétendent que celles qui en souffrent n'existent pas. Les chimpanzés, les lions, les loups, tous pratiquent une forme d'ostracisme, l'expulsion de l'un des leurs, soit trop faible, soit trop turbulent pour que le groupe le tolère. Les savants qualifient cela de méthode "innée et adaptive" de contrôle social. Gaston le chimpanzé, avide d'un pouvoir appartenant à un rang supérieur au sien, essayait de monter des femelles qui n'étaient pas de sa classe. Il ne connaissait pas sa place et, finalement, il fut expulsé. Privé des autres, il se laissa mourir de faim. Les chercheurs trouvèrent sous un arbre son corps émacié. Les amish appellent cela *Meidung*. Lorsqu'un membre enfreint la loi, on l'évite. Toute relation cesse, et celui ou celle contre qui on s'est tourné tombe dans le dénuement, ou pire. Un homme avait acheté une voiture pour emmener son enfant malade chez le docteur, mais les amish ne sont pas autorisés à conduire une voiture. Après cette infraction, ceux qui détenaient le pouvoir le frappèrent d'anathème. Plus personne ne le reconnut. Vieux amis et voisins le regardaient sans le voir. Il n'existait plus parmi eux, et il se sentit donc perdu à lui-même. Il reculait devant les visages inexpressifs. Son attitude se modifia ; il se renferma ; et il s'aperçut qu'il ne pouvait plus manger. Ses yeux perdirent leur acuité et, quand il parlait à son fils, il se rendit compte qu'il chuchotait. Il trouva un avocat et intenta un procès aux anciens. Peu après, son fils mourut. Un mois plus tard, il mourut. La *Meidung* est connue aussi sous le nom de "mort lente". Deux des anciens qui avaient approuvé la *Meidung* moururent également. Il y avait des cadavres sur toute la scène.

Il me semblait à l'époque que j'étais victime d'un maléfice, dont l'origine ne pouvait être établie, seulement devinée, car les méfaits étaient petits et presque toujours cachés : pinçons qui n'avaient pas eu lieu, petits mots blessants que personne n'avait écrits : "T'es qu'une frimeuse !", la mystérieuse destruction de ma rédaction anglaise, le dessin que j'avais laissé sur mon pupitre, retrouvé couvert de griffonnages, sarcasmes et chuchotements, coups de téléphone anonymes, le silence pour toute réponse. Nous nous découvrons sur le visage d'autrui et pendant tout un temps chaque miroir me renvoyait donc l'image d'une inconnue, une étrangère méprisée, indigne d'être en vie. Mia. Je réarrangeai les lettres. *I am* : je suis. Je l'écrivis et le récrivis dans mon cahier. *I am. I am Mia* : je suis

Mia. Parmi les livres de ma mère, je trouvai une anthologie de poésie et, dedans, le poème de John Clare intitulé "I Am".

Je suis – pourtant ce que je suis nul ne le sait ni n'en a cure,
Mes amis m'ont abandonné comme l'on perd un souvenir,
Je vais me repaissant moi-même de mes peines –
Elles surgissent pour s'évanouir – armée en marche vers l'oubli,
Ombres parmi les convulsives les muettes transes d'amour –
Et pourtant je suis et je vis – ainsi que vapeurs ballottées
Dans le néant du mépris et du bruit[1]...

Je n'avais pas la moindre idée de ce que signifiait "me repaissant moi-même de mes peines". Cela aurait pu m'aider. Un peu d'ironie, mon enfant, un peu de distance, un peu d'humour, un peu d'indifférence. L'indifférence était le remède, mais je n'en trouvais pas en moi. Le remède, en réalité, fut l'évasion. Aussi simple. Ma mère arrangea cela. St. John's Academy, à Saint Paul, un pensionnat. Là, on me sourit, on me reconnut, on m'offrit de l'amitié. Là je trouvai Rita, coconspiratrice aux longues tresses noires, lectrice du magazine *Mad*, fan d'Ella, de Piaf et de Tom Lehrer dont nous massacrions, chacune dans notre lit, la chanson sur des pigeons qu'on empoisonne dans un parc. J'étais un peu mal à l'aise vis-à-vis des pigeons, à vrai dire, mais la douce camaraderie de Rita l'emportait de beaucoup sur ce pincement de pitié. Ses jambes hâlées. Les miennes, blanches avec

1. "I am", poème de John Clare, *Anthologie bilingue de la poésie anglaise*, Gallimard, "Bibliothèque de la Pléiade", édition coordonnée par Paul Bensimon, p. 821.

quelques taches de rousseur. Mes mauvais poèmes. Ses bonnes caricatures.

Je revois ma mère, debout sur le seuil de notre chambre, le premier jour. Elle était tellement plus jeune, et je n'arrive pas à retrouver les traits exacts de son visage d'alors. Je me rappelle l'expression soucieuse mais pleine d'espoir de son regard juste avant de me quitter, et qu'au moment de l'embrasser, j'ai écrasé mon visage contre son épaule en me disant "Inspire". Je voulais conserver en moi son odeur – cette odeur mêlée de poudre, de *Shalimar* et de laine.

Il est impossible de deviner l'issue d'une histoire pendant qu'on la vit ; elle est informe, procession rudimentaire de mots et de choses et, soyons francs : on ne récupère *jamais* ce qui fut. La plus grande partie en disparaît. Et pourtant, comme je m'efforce, assise ici à mon bureau, de le faire réapparaître, cet été pas tellement lointain, je sais que des tournants ont été pris qui ont affecté la suite. Certains ressortent comme des bosses sur une carte en relief, mais j'étais alors incapable de les percevoir parce que ma vision des choses se perdait dans la platitude monotone d'une vie vécue au jour le jour. Le temps n'est pas extérieur à nous, il est intérieur. Seulement nous vivons avec le présent, le passé et le futur, et le présent est trop bref, de toute façon, pour être reconnu comme tel ; il est conservé après coup, et alors soit il est codifié, soit il glisse dans l'amnésie. La conscience est le produit du recul. Au début du mois de juin, au cours de la deuxième semaine de mon séjour, j'ai pris un léger tournant sans même m'en rendre compte, et je crois que cela a commencé avec les amusements secrets.

Abigail s'était arrangée pour que je vienne voir ses ouvrages. Son appartement était plus petit que celui de ma mère et, au premier abord, je me sentis submergée par les étagères garnies de minuscules figurines de verre, les coussins et panneaux brodés *(Home, Sweet Home)* et les patchworks multicolores drapés sur les meubles. Toutes sortes de créations artistiques couvraient une grande partie des murs ainsi qu'Abigail en personne, qui arborait une longue robe flottante ornée de ce qui ressemblait à un alligator et autres créatures. En dépit de la densité de son aménagement, la pièce respirait cette atmosphère de propreté, d'absence de poussière et de fierté à laquelle j'avais appris à m'attendre chez les Cygnes de Rolling Meadows. Parce qu'elle ne pouvait plus se tenir droite, Abigail se servait d'un déambulateur pour se déplacer adroitement, bien que pliée en deux. Elle ouvrit la porte, pencha la tête de côté pour me dévisager et, tout en manipulant de sa main libre son appareil auditif, posa sur moi un regard intense. L'appareil était différent de celui que portait ma mère. Les embouts étaient beaucoup plus gros et dépassaient de ses oreilles comme de grandes fleurs noires d'où pendillaient d'épais cordons, et je me demandai s'il s'agissait d'une technologie poussée pour une surdité extrême, ou d'un retour à une époque antérieure. Bien que loin d'être aussi volumineux, cela me rappelait les cornets acoustiques qu'on utilisait au XIXe siècle. Elle m'installa dans un fauteuil, m'offrit des biscuits et un verre de lait, comme si j'avais sept ans, et puis, sans préliminaire, apporta les deux ouvrages qu'elle avait sélectionnés pour que je les examine et les posa l'un au-dessus de l'autre sur mes genoux. Ensuite elle gagna lentement le canapé vert et s'y déposa avec précaution, dans une position qui faisait peine à voir, mais son expression joyeuse et ouverte atténuait ma gêne et je saisis la pièce du dessus.

“Celle-là est ancienne, dit-elle. Ne m’embarrasse pas. C’est le mieux que je puisse dire. Au moins celle-là ne m’embarrasse pas. Après que je les ai terminées, certaines se mettent à m’embarrasser, et alors il faut que je les range, droit au placard. Eh bien, qu’en pensez-vous ?”

Après avoir chaussé mes lunettes de lecture, je contemplai une scène compliquée représentant ce qui m’avait tout l’air d’un cliché : au premier plan, un garçon blond comme un chérubin, fait de feutrine découpée, dansait avec un ours devant un décor floral exubérant. Au-dessus de lui apparaissait le visage souriant d’un soleil jaune. *Gentil tout plein*, pensai-je. Bea affectionnait cette expression moqueuse. Mais alors, en regardant mieux, je remarquai derrière le garçon insignifiant, presque cachée par les feuillages, une minuscule fillette dont la silhouette était brodée en fils aux couleurs passées. Brandissant comme une arme une paire de ciseaux d’une grandeur disproportionnée, elle adressait à un chat endormi un sourire malveillant. Je remarquai ensuite, au-dessus d’elle, une sorte de dentier pourvu d’ailes rose pâle que l’on aurait pu prendre pour des pétales, et un passe-partout d’un vert grisâtre. Continuant mon investigation des formes dans les feuillages, je vis quelque chose qui ressemblait à une paire de seins nus dans une petite fenêtre et, peu après, quelques mots, dont les caractères étaient si petits que je dus les tenir à bout de bras pour les lire : *O souviens-toi que ma vie n’est qu’un souffle.* Je savais que j’avais lu ces mots mais je ne les situais pas.

Quand je relevai la tête, Abigail sourit.

“Ce n’est pas ce dont ça a l’air au premier regard, criai-je dans sa direction. La petite fille. Les dents. D’où vient la citation ?

— S'égosiller ne sert à rien, dit-elle d'une voix forte. Parler net et clair suffira. Job : «O souviens-toi que ma vie n'est qu'un souffle ! Mes yeux ne reverront pas le bonheur.»"

Je ne répondis pas.

"Ils ne le voient pas, vous savez." La tête penchée, Abigail caressait l'un des cordons de son appareil. "La plupart des gens. Ils ne voient que ce qu'ils s'attendent à voir, du sucré, pas d'épices, si vous comprenez ce que je veux dire. Même votre mère a pris son temps pour les remarquer. Evidemment, on n'a pas trop bonne vue, par ici. J'ai commencé ça, oh, il y a des années, à mon club de travaux manuels, je créais mes propres motifs, mais ce n'aurait pas été convenable de faire ça ouvertement – au premier plan –, vous savez, alors je me suis mise à ce que j'ai fini par appeler les *amusements privés*, des petites scènes à l'intérieur des scènes, des dessous secrets, si vous comprenez. Jetez un coup d'œil au suivant. Il y a une porte."

J'étalai la petite couverture sur mes genoux et considérai des roses au petit point, jaune et rose sur fond noir, avec des feuilles de toutes sortes de vert. Le travail d'aiguille était impeccable. Il y avait aussi de petits boutons pastel cousus çà et là dans le motif floral. Pas de porte.

"L'un des boutons s'ouvre, Mia", dit-elle. Elle parlait d'une voix tremblante, et je sentais son excitation.

Après avoir tripoté plusieurs boutons, je relevai les yeux pour voir Abigail empoigner son déambulateur, se soulever deux fois avant de s'arracher à son siège et commencer à avancer lentement vers moi – un *tap* du déambulateur, un pas, un *tap*, un pas. Une fois arrivée, sa tête suspendue juste au-dessus de la mienne, elle désigna un bouton jaune. "Celui-là. Et puis tirez."

J'enfonçai le bouton dans un trou et tirai. Le décor de roses céda la place à une tout autre vision. L'image, sur mes genoux, était encore une tapisserie, dominée, celle-ci, par un immense aspirateur bleu-gris arborant sur son flanc la marque Electrolux. L'objet ne se trouvait pas sur le sol mais en l'air, machine volante guidée par une femme d'une petitesse disproportionnée, quasi nue – elle ne portait que des escarpins à hauts talons –, qui flottait à côté dans le bleu du ciel en manœuvrant son long tuyau. L'appareil ménager était occupé à pomper une ville miniature qui se trouvait audessous. J'examinai les deux jambes d'un bonhomme minuscule, qui dépassaient de l'embouchure, et les cheveux d'un autre, aspirés en l'air, sa bouche béante de terreur. Vaches, cochons et poulets, une église et une école, tous également déracinés, étaient sur le point de se voir digérés par le tuyau avide. Abigail avait travaillé dur à cette scène de succion désastreuse ; chaque silhouette, chaque immeuble avait été représenté à petits points précis. C'est alors que j'aperçus le panneau minuscule indiquant BONDEN qui voletait juste devant l'embouchure du flexible. Je pensai aux heures de travail et au plaisir qui devait avoir stimulé Abigail, un plaisir secret, teinté de colère ou d'un sentiment de revanche ou tout au moins de celui, jubilatoire, d'une destruction par procuration. Des jours, des mois sans doute étaient passés dans la création de ce "dessous".

Un son grave s'éleva de ma gorge, mais je ne crois pas qu'elle l'entendit. Je la regardai, hochai la tête, exprimai mon appréciation dans un sourire et dis, en prenant garde de crier : "C'est merveilleux."

Abigail retourna lentement au canapé. J'attendis pendant les *tap* et les pas, pendant le rituel d'installation, lequel commençait par une ferme prise des deux poings sur le déambulateur et s'achevait en une chute balancée sur le coussin du siège. "J'ai fait ça en cinquante-sept, dit-elle. Ce serait trop pour moi, maintenant. Mes doigts ne coopèrent plus, c'est un travail trop précis.

— Vous avez dû le cacher ?"

Elle fit signe que oui, et puis sourit. "J'étais complètement timbrée, à l'époque. Ça m'a fait du bien."

Abigail ne me donna pas de détails, et je me sentais trop étrangère pour insister. Nous restâmes assises un moment sans parler. Je regardai le vieux Cygne mâcher son biscuit très proprement, essuyer délicatement à l'aide d'une serviette brodée les quelques miettes qui s'étaient coincées à la commissure de ses lèvres. Au bout de quelques minutes, je déclarai que je devais m'en aller et, comme elle tendait la main vers son déambulateur, je lui dis de ne pas se donner la peine de me raccompagner. Et puis, dans un élan d'admiration, je me penchai en avant, trouvai sa joue et l'embrassai chaleureusement.

Que savons-nous des gens, en réalité ? pensai-je. Que diable savons-nous de qui que ce soit ?

Après une seule semaine de cours, mes sept gamines émergèrent de derrière leurs garde-robes et leurs tics d'adolescentes, et je m'aperçus que je m'intéressais à elles. Ashley et Alice, les deux *A*, étaient amies. Toutes deux étaient intelligentes, avaient lu des livres et même certains poètes, et elles rivalisaient en classe pour attirer mon attention. Ashley avait, néanmoins, une assurance qui manquait à Alice. Alice était introvertie. Deux fois, elle se cura le nez sans s'en rendre compte pendant un cours, alors qu'elle travaillait à un poème.

Elle avait un penchant pour les images romantiques stéréotypées – landes, tempêtes de larmes et seins sauvages – qui témoignaient de son immersion dans les sœurs Brontë mais n'en étaient pas moins ridicules lorsqu'elle lisait ses poèmes à haute voix avec des inflexions sentimentales qui provoquaient chez ses congénères des grimaces d'embarras. Pourtant, quelles que fussent ses prétentions, elle maîtrisait la grammaire, écrivait d'une manière beaucoup plus recherchée que toutes les autres et produisit quelques vers qui me plurent vraiment : *Le silence est un bon voisin* et *Je regardai s'en aller ce moi maussade.* Ashley, pour sa part, avait un sens très fort de ce qui allait plaire aux autres. Elle aimait les rimes et l'influence de la musique rap, et impressionnait ses amies par son habileté, lorsqu'elle faisait rimer *planète* et *Internet*, par exemple, ou *adage* avec *sondage.* Cette gamine faisait preuve d'un instinct parfait en termes de politique de groupe et distribuait à ses collègues louanges, encouragements et critiques délicates en doses bienveillantes. Emma perdit un peu de sa timidité, repoussa ses cheveux et révéla son sens de l'humour : "Dans un poème, pas d'arc-en-ciel. *Amour* ne doit jamais rimer avec *toujours.* Mais si tu veux faire rimer *barber* avec *gerber*, tout est permis." Après quelques cours, Peyton se sentait si à l'aise qu'elle s'installa une seconde chaise où poser ses longues jambes. De même que celui d'Alice, le corps de Peyton était en retard sur celui des autres. A première vue, les hormones de la puberté n'avaient pas encore donné l'assaut et, même si j'étais certaine qu'elle en était préoccupée, je ne pouvais m'empêcher de penser que le retard, dans ce domaine, avait ses avantages. En tout cas, c'est ainsi que j'interprétais les taches d'herbe sur ses shorts et le fait que c'étaient toujours des chevaux et non des garçons qui s'insinuaient dans ses poèmes. Jessie avait déjà un air de petite femme, mais je devinais qu'un combat interne se livrait en elle. La maturité physique avait dû arriver tôt. La coquette s'en réjouissait, se pomponnait et sentait le musc, tandis que l'autre arborait des t-shirts amples dissimulant une poitrine généreuse qui semblait grossir à vue d'œil de semaine en semaine. Ce qu'il pouvait se passer de plus dans la vie intérieure de Jessie restait dissimulé derrière des clichés. La stupidité grinçante d'expressions telles qu'"il faut croire en soi" et "ne te laisse abattre par rien" revenait sans cesse, et je compris bientôt qu'il ne s'agissait pas seulement de phrases toutes faites mais de l'affirmation de dogmes, et qu'elle ne se les laisserait pas arracher sans combat. Après ses premières tentatives, je lui avais suggéré avec douceur de revoir sa formulation et j'avais vu son visage se fermer. "Mais c'est *vrai*", protestait-elle. Je cédai. Quelle importance ? me demandai-je. Elle avait probablement besoin de ces slogans pour en finir avec sa guerre. Nikki et Joan faisaient toujours équipe, même si je finis par remarquer que, des deux, c'était Nikki la dominante. Un jour elles arrivèrent toutes les deux avec le visage crayeux, les yeux lourdement soulignés et les lèvres noires, expérience que je décidai de ne pas relever. Ce grimage dans le goût d'Halloween resta toutefois sans effet sur leurs personnalités, toujours gazouillantes. Leurs échanges de pépiements n'avaient d'égal que le ravissement exubérant – et largement contagieux – dans lequel les plongeaient les poèmes de pets, et elles réagirent avec enthousiasme à ma brève leçon sur le scatologique en littérature. Rabelais. Swift. Beckett.

Je n'en étais pas à croire que je savais ce qui se passait dans la vie de ces sept filles. A la fin du cours, des téléphones apparaissaient soudain dans leurs mains et je voyais leurs pouces taper à toute vitesse des SMS, dont la moitié semblait destinée à des amies assises à l'autre bout de la pièce. Un mardi, après le cours, je trouvai un courriel d'Ashley.

Chère Madame Fredricksen,

Il faut que je vous dise que le cours est super. Ma mère disait que ça me plairait, mais je ne la croyais pas. Elle avait raison. Vous êtes vraiment différente des autres profs, comme une amie. Non, comme un ANGE. J'apprends plein de choses. Je crois qu'il fallait que je le dise. Et aussi que vous avez des cheveux super.

Votre élève très dévouée,
Ashley.

Et puis un autre message, d'une adresse que je ne reconnus pas.

Je sais tout sur vous. Vous êtes Dingue, Cinglée, Siphonnée.

M. Personne.

Ça me fit l'effet d'une gifle. Je me rappelai le panneau du NAMI[1] sur le mur de la petite bibliothèque du service, à l'hôpital : LUTTONS CONTRE LES STIGMATES DE LA MALADIE MENTALE. *Stigmatos*, marqué par un instrument tranchant, la trace d'une blessure. Beaucoup plus tard, au XVe siècle, peut-être, cela prit aussi le sens d'un signe de disgrâce. Les blessures du Christ et celles des saints et des hystériques atteints de saignements aux mains et aux pieds. Stigmates. Je me demandais qui pouvait bien vouloir me harceler anonymement

1. Sigle de la National Alliance on Mental Illness, une association à but non lucratif luttant pour l'amélioration du traitement de la maladie mentale.

– et dans quel dessein ? Pas mal de gens savaient sans doute que j'avais été hospitalisée, mais je ne parvenais pas à imaginer qui aurait pu désirer m'envoyer ce message. Je tentai de me rappeler si j'avais donné mon adresse électronique à un autre patient, à Laurie peut-être, la triste, triste Laurie qui errait en traînant les pieds dans ses pantoufles, son journal intime serré contre son cœur, en émettant de petits gémissements. C'était possible, mais peu probable.

Dans mon lit, cette nuit-là, agitée par les tempêtes habituelles – le mot de Stefan : *C'est trop dur* ; la Pause me serrant la main, au labo, en souriant, le souvenir de Boris au lit et le poids du sommeil dans son corps, et puis son visage voilé lorsqu'il me révèle sa décision, et Daisy, ses larmes, le bruit de sa respiration entrecoupée et de ses reniflements ; elle sanglote parce que son père quitte sa mère, et je pense à la passion pour une autre de mon impénétrable père –, le mot *folie* revint et je le repoussai, et puis le mot que dans son message Ashley avait écrit en majuscules, ANGE, apparut un instant sur l'écran de mes paupières fermées. Je pensai aux visiteurs célestes de Blake, à la légende du don surnaturel de Rilke, aux premiers mots des *Elégies de Duino*, et puis à Leonard, pensionnaire comme moi de l'aile sud. Il s'était proclamé Prophète du Néant. Il pontifiait et discourait et, manifestement ravi des tonalités stentoriennes de sa propre voix de basse, il exposait ses idées au premier qui passait à sa portée. Mais personne ne l'écoutait, ni les autres patients, ni le personnel. Même son psychiatre était resté sans expression, assis en face de Leonard au cours d'un entretien dont j'eus un aperçu à travers l'une des grandes fenêtres. Il m'intéressait, néanmoins, et ses appels grandioses tenaient du génie. Le matin de ma sortie, j'étais restée assise avec lui dans la salle commune. Avec son début de calvitie entourée de boucles grisonnantes qui lui venaient aux épaules, Leonard avait la tête de l'emploi. Il se tourna vers moi et entama ses prophéties. Il me parla de Maître Eckhart comme d'un messager du Néant, qui aurait influencé Schelling, Hegel et Heidegger. Et il m'expliqua que l'*Angst* de Kierkegaard était une rencontre avec Rien, que nous vivions en un temps de Néant actualisé, et que cela était essentiel et mystique. “Nous ne ferions pas fausse route, affirmait-il en agitant l'index, en nous ouvrant à cette vérité, que le Néant est le fondement primordial de ce monde.” Leonard était peut-être fou, mais sa pensée n'était, de très loin, pas aussi embrouillée que l'estimaient les pouvoirs en place dans l'hôpital. Il poursuivit son allocution en expliquant que tout cela était en relation avec les degrés les plus subtils du bouddhisme et, tandis que je me dirigeais vers Daisy, qui venait de passer la porte pour me ramener à la maison, il dériva vers le *Faust* de Goethe, sa descente dans le royaume des Mères et son union avec le néant, et je n'en entendis pas plus.

Un solitaire. Il ne pouvait pas être M. Personne, n'est-ce pas ? Après avoir quitté l'hôpital, je regrettai de ne pas lui avoir fait comprendre que je le suivais dans au moins quelques-unes de ses divagations mais, sur le moment, la seule chose à laquelle je pouvais penser était le visage de ma fille. Cette chose-là était seule à compter.

> Me rappeler moi quand j'étais elle,
> tanguant dans des chambres
> blanches comme des œufs.
> Sous-jacentes, des cordes –
> ces lignes violentes
> de ce qu'on appelait
> le cœur, perdues
> pour ma bouche devenue amère.
> “Un fouillis” disait-il.

Non, des nœuds.
Ni ceci ni cela.
Elle était distincte,
Je crois. En suspens.
Range-la.
Chose inanimée.
Range-la,
et laisse-la tanguer.

“Chère Mia, écrivait Boris. Quoi qu'il arrive entre nous, il est très important pour moi de savoir comment tu vas. Pour Daisy, aussi, nous devons rester en communication. Je t'en prie, envoie-moi un message en réponse à celui-ci.” Si raisonnable, pensai-je, une prose si raide : *en communication*. J'avais envie de mordre. Il était manifestement inquiet. Il m'avait vue le lendemain du jour où j'avais atterri à l'hôpital, quand j'étais en crise *aiguë*, en proie au délire et aux hallucinations, en pleine *bouffée délirante*, et convaincue qu'il allait voler l'appartement et me jeter à la rue, selon une conspiration mijotée avec la Pause et les autres chercheurs du labo, et lorsqu'il s'est assis en face de moi dans la pièce avec le Dr P., une voix a dit : “Bien sûr qu'il te hait. Tout le monde te hait. Tu es impossible à vivre.” Et ensuite : “Tu finiras comme Stefan.” J'ai hurlé : “Non !” et un infirmier m'a embarquée et on m'a injecté encore du Haldol, et j'ai su qu'*ils* étaient complices.

Son frère *et* sa femme. Pauvre Boris. Je les entendais : Pauvre Boris, entouré de cinglés. Je me rappelle avoir raconté ça à Felicia, qui était venue faire le ménage. Je me rappelle avoir déchiré le rideau de douche, en lui décrivant le complot, en criant. Je me le rappelle parfaitement mais, maintenant, c'est comme s'il s'agissait de quelqu'un d'autre, comme si je me regardais de loin. Tout cela a disparu après l'arrivée de Bea. Mais j'avais fait peur à Boris et, puisqu'il m'avait “agitée” lors de sa visite, on ne voulait plus qu'il vienne me voir. Je regardai fixement le message pendant un long moment avant de répondre : "Je ne suis plus folle. J'ai mal." Ces mots sonnaient vrai mais, lorsque je tentai d'entrer dans le détail, tout commentaire supplémentaire me parut simplement décoratif. Qu'y avait-il à *communiquer* ? Et le fait que Boris veuille communiquer était d'une ironie presque insupportable.

Je n'ai pas envie d'en parler. Je m'éveille à peine. Laisse-moi boire mon thé. On parlera plus tard. Je ne peux pas en parler. On en a discuté un millier de fois. Combien de fois avait-il prononcé ces phrases ? Répétition. Répétition, pas identité. Rien n'est répété exactement, même les mots, parce que quelque chose a changé dans celui qui parle et dans celui qui écoute, parce qu'une fois les mots dits et puis redits et redits encore, la répétition elle-même les altère. Je vais et viens sur le même sol. Je chante la même chanson. Je suis mariée avec le même homme. Non, pas vraiment. Combien de fois avait-il répondu aux coups de téléphone de Stefan en pleine nuit ? Des années et des années d'appels et de sauvetages et de médecins et le traité qui allait transformer la philosophie à jamais. Et puis le silence. Dix années sans Stefan. Il avait quarante-sept ans quand il est mort. Boris en avait cinq de plus et une fois, une seule fois, le frère aîné m'avait chuchoté après deux verres de scotch que le plus terrible, c'était que c'était un soulagement, aussi, que le suicide de son propre frère bien-aimé avait aussi été un soulagement. Et ensuite quand sa mère est morte – Dora la flamboyante, la compliquée, toujours à s'apitoyer sur son sort –, Boris est resté l'unique survivant. Son père était mort subitement d'une défaillance cardiaque quand les garçons étaient encore jeunes. Boris n'a rien manifesté de son chagrin. Au contraire, il s'est replié sur lui-même. Qu'avait dit mon père ? "Je ne peux pas. Je ne peux pas." N'avais-je pas rêvé d'accéder à ces deux hommes ? Mon père et mon époux, tous deux enclins aux longues dissertations sur les préjudices ou les gènes et tellement muets à propos de leur propre souffrance. "Votre père et votre mari avaient un certain nombre de traits en commun", avait dit le Dr S. Au temps passé : avaient. Je regardai le message. *J'ai mal.* Boris aussi avait eu mal. J'ajoutai : "Je t'aime, Mia."

La chronique de ma sexualité ne me procurait pas la libération que j'en avais espérée. Le rappel de mes premiers et furtifs voyages masturbatoires en haut d'une montagne qui s'était soudain présentée comme *quelque chose à escalader*; les jeux de langue avec M. B. qui me laissaient au matin la bouche endolorie parce que ni moi ni ledit jeune homme n'avions osé nous aventurer dans des territoires situés plus au sud ; plus tard, les avancées audacieuses de J. Q. sous mes soutiens-gorge et dans mes jeans, où il persévérait en dépit d'une résistance coloniale dont il faut reconnaître que les forces faiblirent avec le temps, tout cela frisait le ridicule, je ne pouvais l'ignorer. Quelle importance ? me demandai-je. Et cependant, pourquoi la femme mûre se retournait-elle sur la jeune fille avec tant de froideur, si peu de sympathie ? Pourquoi la personne vieillissante ne se risquait-elle que dans l'ironie ? N'avais-je pas gémi et soupiré et langui et pleuré ? N'avais-je pas perdu ma virginité entre passion et confusion, ignorant encore, en dépit de mes aventures avec M. B. et J. Q., comment tout cela marchait exactement ? Je me rappelle l'escalier de bois montant à l'étage, les draps et couvertures roulés en boule, mais ni couleur ni détails. Seulement qu'une faible lueur pénétrait par la fenêtre et que, dehors, les branches de l'arbre bougeaient et que la lumière bougeait avec elles. Cela avait fait un peu mal, mais il n'y avait pas eu de sang, pas d'orgasme.

Le deuxième message disait simplement *Timbrée. M. Quelqu'un.*

Bien que ce fût déconcertant, je décidai de ne pas m'en inquiéter. Ces missives avaient quelque chose de puéril, et quel mal pouvaient-elles faire, en vérité ? Laissé sans réponse, l'expéditeur allait se fatiguer et disparaître dans la nébuleuse d'où il était venu. Il n'était pas plus menaçant que la présence derrière la porte – rien qu'une absence ressentie.

De temps en temps, mes voisins de gauche, les parents du mini-Harpo qui était apparu sur ma pelouse, se querellaient à grand bruit. Le contenu de leurs disputes était en majeure partie inaudible. Ce qui parvenait jusqu'à moi, c'était la colère : sa voix stridente à elle, qui changeait de registre quand elle se brisait en sanglots, et son ténor retentissant, à lui – ponctués l'un et l'autre, à l'occasion, par un fracas soudain. Ces bruits-là étaient effrayants, et je me surprenais à observer attentivement la maison et ses occupants. C'était un jeune couple rose et rondelet. Lui, je le voyais peu. Il s'en allait le matin en Toyota à un boulot quelconque et parfois ne revenait pas de plusieurs jours : un jeune homme qui voyageait sans doute ici et là pour son travail. La jeune femme restait à la maison avec son petit Harpo Marx et un bébé qui ne devait guère avoir plus de six semaines – une petite personne dans cette phase de la vie où l'on est encore mou, frappé par des stimuli visuels, où l'on suçote, agite les bras et les jambes, grimace et grogne. Comme j'avais aimé cette phase du développement de ma Daisy. Un après-midi, comme j'étais assise au jardin dans la chaise longue branlante qui était devenue mon siège de lecture, j'aperçus la mère entre deux buissons. Tout en tenant dans ses bras le bébé qui hurlait et se débattait, elle se penchait vers sa gamine emperruquée, plongée dans des négociations farouches quoique maîtrisées à propos des faux cheveux. "Tu ne peux pas porter ça tout le temps. Ton crâne doit être en sueur. Et tes cheveux à toi, alors ? Je me souviens à peine à quoi ils ressemblent. – L'est pas en sueur ! l'est pas en sueur !" Je déposai mon volume de *Repetition*, que je lisais pour la sixième fois, et m'avançai de quelques mètres pour proposer mon aide.

Mon intervention eut pour conséquence que la perruque demeura sur la jeune tête. La mère s'appelait Lola, Harpo, en réalité, s'appelait Flora et le personnage à la couche en papier s'appelait Simon, avec qui j'eus une conversation tout en gazouillements, hochements de tête et sourires, que je trouvai extrêmement gratifiante. Nous finîmes tous les quatre dans le jardin des professeurs, à boire de la limonade, et je découvris que Lola avait étudié les beaux-arts au Swedenborg College, fabriquait des bijoux et les vendait, que son mari, Pete, travaillait pour une société de Minneapolis qui opérait régulièrement des réductions de personnel, un fait que Lola trouvait "plutôt flippant", qu'en effet il voyageait beaucoup, et que Lola était fatiguée. Elle ne dit pas qu'elle était fatiguée, mais l'épuisement se lisait sur son doux visage rond de vingt-six ans. Pendant que nous étions assises ensemble, elle donna le sein à Simon avec l'aisance de l'habitude, tout en se défendant des intrusions pleines d'une fausse sollicitude de Flora, lesquelles menaçaient de détacher du téton la bouche de son fils. Je tentai de distraire Flora en lui posant des questions. Au début elle refusa de me répondre. Je m'adressai à son dos et à la perruque et, après quelque insistance et plusieurs questions, elle changea de caractère et je devins le témoin d'une exhibition de caquetage, de danse et de chant. "Regarde mes pieds ! Regarde comme je saute. Simon ne sait pas sauter. Regarde, maman. Regarde-moi ! Regarde, maman !" Lola l'observait avec un léger sourire, tandis que son bébé chauve battait des yeux, ouverts, fermés, ouverts, fermés, en tendant vers rien ses petits bras tremblants, avant de retomber endormi sur son sein.

Boris m'écrivit en retour :

> Merci de m'avoir répondu, Mia. J'ai un colloque en juillet à Sydney. Te tiendrai au courant des dates. Boris.

Pas de je t'aime pour mon je t'aime. J'en déduisis qu'il espérait faire passer nos relations sur le mode de la froide politesse, eu égard à la bien-aimée progéniture commune, et je fantasmai brièvement à l'idée de leur tomber dessus dans le labo, à lui et à la Pause, et de voler d'une cage à l'autre : Mia, la Furie en perpétuelle colère, libère de leurs prisons tous les rats torturés et contemple avec une jubilation maligne leurs corps d'un blanc laiteux qui se carapatent sur le sol.

Les cours continuèrent pendant la deuxième semaine, et tandis que nous écrivions et parlions, assises toutes les huit autour de la table, je commençai à deviner chez les filles une tension invisible qui me mettait mal à l'aise. Je savais que la véritable intensité de cette force se manifestait avant et après l'atelier, durant les heures de leur vie qui n'avaient rien à voir avec moi, et que sa dynamique participait du secret et des alliances indispensables à l'orée de l'adolescence. Il y avait entre elles des échanges de regards et des hochements de tête à peine perceptibles, qui me donnaient parfois l'impression d'assister à une pièce jouée derrière un écran opaque. Les bribes de leurs conversations qui me parvenaient étaient stéréotypées à l'extrême, un badinage primitif ponctué de mots tels que *genre* et *trop*, utilisés principalement pour télégraphier approbation et désapprobation.

Mais pourquoi elle fait ça ? Je trouve ça *trop nul.*

Ben quoi, c'est pas vrai ? Oh purée, tu sais pas que c'est vraiment pas cool ?

T'as vu le frère à Frannie ? L'est *trop* mignon !

Non, imbécile, il a quinze ans, pas seize.

T'as vu le sac qu'elle se trimballe. Genre *trop* moche, tu vois.

Tu m'as traitée de lesbienne ? T'es malade !

Quand j'écoutais d'une oreille leurs conversations pendant les minutes précédant et suivant le cours, j'avais souvent l'impression que leurs propos étaient interchangeables, sans la moindre individualité, une sorte de parler grégaire sur lequel elles s'étaient toutes mises d'accord, à l'exception d'Alice, dont la diction n'était pas infectée par autant de *genre* et de *trop*, et pourtant elle aussi se laissait aller au curieux dialecte débile de la Femme Primitive. Mais après s'être assise, chacune de ces enfants se différenciait soudain des autres, comme si un charme avait été levé, lui permettant de parler pour elle-même. Petit à petit, des fragments de son histoire familiale apparaissaient, modifiant la perception que j'avais d'elle. Je découvris qu'Ashley venait d'une famille de cinq enfants et que ses parents avaient divorcé quand elle avait trois ans ; que la petite sœur d'Emma était atteinte de dystrophie musculaire ; que le père de Peyton vivait en Californie. Elle devait aller chez lui à la fin du mois d'août, ainsi qu'elle le faisait chaque année. C'était lui le parent qui avait des chevaux. Alice n'habitait à Bonden que depuis deux ans. Avant cela, elle avait vécu à Chicago et ses allusions répétées à cette métropole perdue provoquaient inévitablement chez les autres une contagion de regards. Joan et Nikki étaient amies depuis la troisième primaire. Les parents de Jessica étaient des chrétiens sérieux, peut-être de la variété relativement récente qui mêlait pop-psychologie et religion, mais je n'étais pas sûre.

Afin d'effleurer leurs mondes intérieurs, ces mondes que je devinais aussi distincts que leurs histoires, nous commençâmes à travailler à des poèmes sur le "moi secret". J'exposai la faille qui existe entre les perceptions extérieures et notre sens personnel d'une réalité intérieure, les malentendus qui peuvent parfois influencer nos relations à autrui, l'impression commune à la plupart d'entre nous d'avoir une personnalité cachée, les différences entre l'individu social et l'individu solitaire, et ainsi de suite. J'insistai sur le fait qu'il ne s'agissait pas du jeu "Action ou vérité", un souvenir de ma propre jeunesse, ni d'un exercice de confession ou de révélation de secrets que nous souhaitions garder cachés. Je suggérai de jouer du contraste entre deux propositions : *On croit que je suis...* et *Mais en réalité je suis...* Nous discutâmes de métaphores, de l'usage d'un animal ou d'un objet au lieu d'un adjectif.

Je félicitai Joan pour ses vers :

> On me croit fade et un peu bête.
> Mais tout au fond c'est la tempête.

Emma compara son moi intérieur à de la boue, mais c'est Peyton qui nous donna l'image la plus étonnante. Elle écrivit qu'à l'intérieur elle était "un morceau de porte cassée ressemblant à une île sur une carte". Quand elle lut cela, le visage maigre et étroit de Peyton avait une expression pensive et tendue. Elle hésita, puis expliqua. Quand elle avait huit ans, nous raconta-t-elle, ses parents avaient eu une terrible dispute alors qu'elle était couchée dans son lit. Son père était sorti de la maison en furie et avait claqué la porte avec tant de violence qu'elle s'était en partie décrochée et qu'un morceau en était tombé. Le lendemain matin, elle avait ramassé le morceau tombé et elle l'avait conservé. Nous restâmes silencieuses pendant quelques secondes. Et puis j'observai que, parfois, quelque chose de petit, même un fragment brisé, pouvait signifier tout un monde de sentiments. "Plus rien n'a été pareil, après ça", dit-elle doucement.

En me dirigeant vers les portes ouvertes après le cours, je remarquai qu'Ashley et Alice étaient en grande conversation sur les marches juste devant le bâtiment. Je vis Alice hocher la tête en souriant, et puis tendre un livre ou un cahier. Après cela, Ashley se retira sur le côté et se mit à tapoter comme une folle sur son téléphone. Comme je passais près d'elle en partant, elle leva les yeux vers moi et sourit. "Vraiment bien, ce cours.

— Merci, Ashley", dis-je.

Cette nuit-là, alors que j'étais couchée, un orage de juin vint rouler sur la ville, avec de bruyants coups de tonnerre, des craquements violents comme une série de détonations, mêlés aux grondements sonores au-dessus de moi, dont l'écho se répétait encore et encore. Peu après vint le bruit précipité d'une pluie forte et drue, au-dehors. Je me souvins des grands vents de mon enfance, de réveils matinaux où l'on s'apercevait que des branches étaient tombées partout dans la rue. Je me souvins du calme magique d'avant la tornade ou la tempête, comme si la terre entière retenait son souffle, et de la couleur verte surnaturelle qui teintait le ciel. Je me souvins de l'immensité du monde.

Le Dr S. dit : "Vous avez l'air de vous amuser."

Je fus choquée. Comment aurais-je pu m'amuser ? Une femme abandonnée par son mari, et qui a pété les plombs, par-dessus le marché, même "brièvement", comment pourrait-elle s'amuser ?

"Vous semblez avoir touché la corde sensible avec vos jeunes poètes." (J'entendis un accord de guitare – les métaphores me font souvent cet effet, même quand elles sont si usées qu'on ne les perçoit plus.) "Vous semblez aimer la compagnie de votre mère. Abigail a l'air très intéressante. Vous avez rencontré les voisins. Vous écrivez bien. Vous avez répondu au courriel de Boris." Elle fit une pause. "Je l'entends à votre voix."

Me sentant obstinée, j'émis un bruit de démenti.

Le Dr S. attendait.

Je réfléchis : se pouvait-il qu'elle eût raison ? Etais-je restée accrochée à une idée de tristesse alors qu'en secret je m'amusais ? Amusements secrets. Savoir inconscient. *Il y avait une petite fille qui avait une petite boucle en plein milieu du front. Quand elle était sage, elle était très, très sage ; quand elle ne l'était pas...* "Vous avez peut-être raison."

Je l'entendais respirer.

“Il y a eu un orage, cette nuit, dis-je, un gros. Ça m’a plu.” Je disais n’importe quoi, mais c’était bon, ça, association libre. “Comme d’écouter ma propre rage, mais une rage dotée d’une réelle puissance, ces grands boum virils dans les cieux, divins, magistraux, paternels, le genre de rage tonitruante qui fait courir les larbins, un rugissement de baryton ébranlant le ciel. J’avais presque l’impression de sentir la ville bouger.

— Vous croyez que si votre colère avait cette puissance, une puissance paternelle, vous pourriez donner aux choses de votre vie une forme plus conforme à vos désirs. C’est cela que vous vouliez dire ?”

Etait-ce cela que j’avais voulu dire ? “Je ne sais pas.

— C’est peut-être que les émotions de votre père vous semblaient exercer une telle autorité dans la famille, sur votre mère, votre sœur et vous, et que vous tâchiez toujours de contourner ses sentiments, d’éviter de le contrarier. Et vous avez ressenti la même chose dans votre couple, peut-être reproduit la même histoire, et pendant tout ce temps votre colère n’a cessé de monter ?”

Seigneur, cette femme est forte, pensai-je. Je lui répondis d’un humble petit “oui”.

Mémoires sexuels. Nouvelle tentative.

> Cela avait commencé à la bibliothèque, avec Kant. Les bibliothèques sont des usines à rêves érotiques. C’est la langueur qui les provoque. Le corps doit ajuster sa position – une jambe repliée, une paume sur laquelle on s’appuie, un dos que l’on étire – mais il ne va nulle part. C’est la lecture et le fait de lever les yeux de ce qu’on lit qui les provoquent ; la pensée quitte le livre et va errer sur une cuisse ou un coude, réels ou imaginaires. La

pénombre des rayonnages les provoque en suggérant ce qui est caché. L'odeur sèche du papier et des reliures et, fort possiblement, l'odeur de vieille colle les provoquent. Ce n'était pas un Kant difficile : *Critique de la raison pratique*, beaucoup plus facile que *pure*, mais j'avais vingt ans et *pratique* était bien assez difficile, et il se pencha sur moi pour voir de quel livre il s'agissait. Son haleine chaude, sa barbe, très proches. Le professeur B., sa chemise blanche, son épaule à quelques centimètres de la mienne. Mon corps entier se raidit, et je ne dis rien. Puis il se mit à lire d'une voix sourde, mais le seul mot dont je me souvienne est *tutelle*. Il le prononçait lentement, en détachant les syllabes, et je fus à lui. Cela finit mal, comme on dit, qui que soit ce *on*, mais ses yeux qui m'observaient quand je me déshabillai – *Non, d'abord le chemisier. Maintenant la jupe. Lentement* –, ses longs doigts passant dans ma toison, et puis se retirant, me taquinant, souriant, me mettant au désespoir – ces plaisirs impudiques dans la bibliothèque après la fermeture, ceux-là je les conserve bien à l'abri dans ma mémoire.

"George est morte", dit ma mère, et elle appuya son index contre sa bouche pendant un moment. "On l'a trouvée ce matin, par terre, dans sa salle de bains.

— Pauvre George", soupira Regina. Elle fit la moue. "Je doute d'arriver à cent deux ans ; c'est vraiment extraordinaire d'envisager ça ne fût-ce qu'un instant."

Envisage-t-on pendant un instant ?

"Pas avec ma jambe, poursuivit-elle. Je n'avais jamais entendu parler de ce que j'ai, vous savez. Le docteur m'a dit que, si je ne fais pas attention, un jour ça monte droit au cerveau ou aux poumons ou je ne sais où, et on est mort sur le coup."

Ses yeux semblaient humides. “Si j’oublie la Coumadine, eh bien, alors, ça y est.

— Elle adorait dire son âge aux gens.” D’une main appuyée au bord de la table, Abigail étayait son corps voûté. Elle tourna la tête vers moi : “Elle ne s’en lassait jamais. Sa fille aînée a soixante-dix-neuf ans.” Elle soupira. “On dirait que quelqu’un s’en va chaque jour. On est vivant, et l’instant d’après on est mort.”

Peg examinait ses mains sur la table. Elles étaient couvertes d’éphélides, et parcourues de grosses veines protubérantes. “Elle est auprès de son Créateur.” Il y avait un vrai roucoulement dans la voix de Peg, comme le bruit de gorge d’un pigeon. “Et d’Alvin, ajouta-t-elle.

— A moins qu’on ne l’ait refait au paradis, que Dieu la protège d’Alvin, déclara Abigail avec conviction. Le plus maniaque des petits tyrans que j’aie jamais rencontrés. Ses plumes devaient être rangées juste comme ça, à deux centimètres les unes des autres, ses cols devaient être repassés sans un faux pli. Le lit, Seigneur, le lit et ses coins. George a eu de la chance d’être débarrassée de lui. Vingt-sept bienheureuses années sans cet affreux petit despote chauve.

— Abigail, ce n’est pas bien de parler comme ça des morts”, fit Peg d’une voix doucement mélodieuse.

Abigail n’écoutait pas. Elle me glissait un papier dans la main, sous la table. Je refermai mes doigts autour et le mis dans ma poche.

Ma mère hochait la tête. “Je n’ai jamais cru non plus qu’il convenait de transformer les gens en parangons de vertu après leur mort.”

Je murmurai mon assentiment.

“Il n’y a pas de mal à voir les côtés positifs.” La voix de Peg s’éleva d’une octave entière sur le dernier mot. Elle sourit.

“Aucun, acquiesça Regina avec son drôle d’accent. Malgré ma jambe, il me faut rester joyeuse et pleine d’espoir. Que puis-je faire d’autre ? Si ça éclate, c’est fini, droit au cerveau ou au cœur, morte en une seconde.”

Nous étions dans le salon de jeux, assises autour de la table de bridge. La lumière d’été entrait par la fenêtre et je regardai les nuages, dont l’un dérivait vers le haut à la manière d’un rond de fumée. J’entendais un sèche-linge en train de ballotter des vêtements quelque part au bout du couloir, et le son assourdi d’un scooter motorisé, et c’était tout.

Quatre Cygnes.

> Mia,
>
> J’en ai d’autres à vous montrer. Jeudi vous conviendrait-il ?
>
> Bien à vous,
>
> Abigail.

Chaque mot était un griffonnage de lettres tremblées mais soignées. Je me souvins de ce que ma mère avait un jour dit : “Vieillir, ça va. Le seul problème, c’est que le corps se déglingue.”

> Votre poésie est fêlée, avait écrit mon tourmenteur anonyme. Personne peut la comprendre. Personne a envie de ces trucs tordus. Pour qui vous prenez-vous ?!#*
>
> M. Personne.

Je lus le message plusieurs fois. Plus je le lisais, plus il devenait singulier. La répétition de “personne” suivie par le pseudonyme, Personne, donnait l’impression que lui, Personne, comprenait et avait en fait envie de *trucs tordus. Pour qui vous prenez-vous ?* devenait, dès lors, une tout autre question. Significations coulissantes. Il ne semblait guère probable que le fantôme fût ironique et prît un air supérieur pour plaisanter à propos du *novis dictum* en faveur de poèmes "accessibles" ou jouer avec les mots *trucs tordus* et *fêlée*. A moins que ce ne fût Leonard, sorti de l'aile sud et s'en prenant à moi pour l'une ou l'autre raison abracadabrante n'appartenant qu'à lui. Il était vrai que je m'évertuais depuis des années sur une œuvre peu désirée et peu comprise, que mon isolement m'était devenu de plus en plus douloureux, que j'avais fait subir à Boris mes harangues et diatribes sur notre culture superficielle, dévalorisée et d'un anti-intellectualisme virulent, qui rend un culte à la médiocrité et méprise ses poètes. Où se trouvait la rue Whitman dans la ville de New York ? J'avais pleurniché sur les poètes qui écrivaient pour les quelques derniers semi-intellectuels des Etats-Unis se donnant encore la peine de jeter un coup d'œil sur un ou deux pauvres vers dans leur numéro du *New Yorker*, se donnant ainsi la brève satisfaction d'avoir goûté à quelque menu morceau de sentiment ou d'humour poétique "sophistiqué" à propos de pelouses, de vieilles montres ou de vin puisque, après tout, c'était *dans* le magazine. Le rejet s'accumule ; se loge dans le ventre, telle une bile noire qui, recrachée, devient un laïus, les vaines fulminations d'une poétesse rousse isolée face aux ignares et aux initiés et aux faiseurs de culture qui n'ont pas su la reconnaître, et le pauvre Boris a vécu avec ses/mes ululations braillardes, Boris, un homme pour qui tout conflit était anathème, un homme à qui l'éclat de voix, l'exclamation passionnée raclaient l'âme comme du papier de verre. La paranoïa court après le rejet. Durant les jours de mon aliénation clinique totale, n'avais-je pas été parano ? *On* complotait contre moi. A présent, les mots sur l'écran, les mots de Personne, avaient pris la place des voix accusatrices dans ma tête. Tout le monde te déteste. Tu n'es rien. Pas étonnant qu'il t'ait quittée. C'était comme si M. Personne savait, comme s'il comprenait où frapper. Je pensai à George étendue, morte, sur le sol de sa salle de bains le matin même, et l'avenir devint soudain vaste et nu, et le doute constant et ravageur d'avoir écrit de la merde, un véritable gâchis, et, à force de lire, de ne pas m'être donné accès à la connaissance mais à un insondable oubli, d'être, moi, et pas Boris, responsable de la Pause, et que mon véritable grand œuvre, Daisy, fût derrière moi, tout cela semblait vrai. Désormais, ménopausée, abandonnée, dépossédée et oubliée que j'étais, il ne me restait rien. Je posai la tête sur le bureau, en songeant amèrement que ce n'était même pas le mien, et pleurai.

Après quelques minutes passées à sangloter à pleine gorge, je sentis sur mon bras l'haleine tiède de quelqu'un et je sursautai. Flora et Giraffet se tenaient très près de moi. Attentive, elle ouvrait de grands yeux ronds. Une mèche de ses propres cheveux châtain clair dépassait de sous la perruque et la peau tout autour de sa bouche avait été teinte en rose par je ne sais quelle substance. Nous nous contemplâmes. Nous ne disions rien, ni l'une, ni l'autre, mais je sentais qu'elle m'observait avec l'œil froid d'un scientifique, un zoologue sans doute. Son regard sérieux digérait l'animal entier, évaluait son comportement, et puis, sans un mot, elle agit. Elle souleva Giraffet et me le tendit. Son intention, ce faisant, n'était pas évidente et par conséquent, au lieu de le prendre, je me frottai les yeux du dos de la main et caressai la tête de la dégoûtante bestiole.

Un instant plus tard, j'entendis Lola qui appelait sa fille à grands cris et, prenant la main de Flora, ce qu'elle accepta avec aisance et naturel, je passai avec elle dans l'autre pièce pour accueillir Lola et Simon (dans son porte-bébé) devant la porte grillagée restée ouverte. Je vis Lola réagir à mon visage ; de ce dont il avait l'air, je n'ai aucune idée – une bouillie rouge et noirâtre de larmes et de mascara, sans doute –, mais son front se plissa de sympathie pendant une fraction de seconde. La jeune mère me parut un peu négligée, à ce moment, presque débraillée, avec son jean coupé et son débardeur rose, et des boucles d'oreilles de sa fabrication, deux cages à oiseau dorées pendues à ses lobes. Elle avait tiré en arrière ses cheveux décolorés et je remarquai qu'elle avait un petit coup de soleil sur le nez. Je me souviens de ces détails parce que je compris tout à coup combien j'étais heureuse de la voir, et que l'émotion que je ressentais a fixé les détails de la rencontre. Il devait être environ sept heures et demie du soir, à ce moment-là. Pete était parti une fois de plus et elle allait tenter de mettre les enfants au lit et puis, dit-elle avec un grand sourire, elle avait l'intention d'ouvrir une bouteille de vin et de manger la quiche qu'elle avait préparée dans la journée, et elle serait ravie que je me joigne à elle, et j'acceptai avec un enthousiasme qui m'aurait embarrassée dans quasiment toute autre circonstance mais qui, dans le cas présent, semblait tout à fait "normal". Ma mère était à son club de lecture en train de discuter de l'*Emma* d'Austen devant un assortiment de fromages, et je n'avais nulle obligation d'aucune sorte.

Et ce fut donc ce soir-là que nous affrontâmes ensemble l'heure du double coucher. Pour ma part, cela supposa une stratégie complexe consistant à bercer, à faire sauter, voire à secouer un Simon fraîchement nourri qui semblait en proie à des paroxysmes de douleur dans la région des entrailles. Le petit bonhomme rougeaud se tortillait d'inconfort, cracha du lait sur mon épaule et puis, après s'être tendu avec force, expulsa dans sa couche, en une seule et bienheureuse motion, un jet jaune et crémeux que je nettoyai de bon cœur tout en examinant son minuscule et adorable pénis et ses testicules d'une importance surprenante, avant de lui emballer le derrière dans un Pampers, après quoi je trouvai un fauteuil à bascule dans lequel nous nous installâmes et, en le balançant et en lui chantant des berceuses, j'amenai le dernier rejeton de la famille dans les bras ou, plus exactement, le giron de Morphée. Pendant ce temps, Lola menait une campagne parallèle avec son petit moulin à paroles déluré de même pas quatre ans, Flora, qui lambinait, faisait le singe et négociait son parcours vers ce que Sir Thomas Browne a un jour appelé "le Frère de la Mort". Vaillamment, oh, comme elle combattait vaillamment la perte de conscience en recourant à toutes les ruses possibles : histoires pour s'endormir, verres d'eau et juste encore une chanson, jusqu'à ce que, épuisée elle aussi par les rigueurs de la bataille, elle s'abandonne, l'articulation d'un index recourbé dans la bouche et le bras libre étalé sur un couvre-lit imprimé de grands dinosaures pourpres, tandis que Giraffet et son compagnon, une bête peroxydée subtilisée sur la tête de la guerrière endormie, veillaient sur la table de chevet.

Nous mangeâmes la quiche, Lola et moi, et nous soûlâmes lentement au cours des quelques heures suivantes. Elle était allongée sur le canapé, ses cages à oiseau brillant dans la lumière, ses jambes rondes et bronzées étendues devant elle. De temps en temps, elle remuait ses pieds nus, aux plantes un peu salies, comme pour se rappeler qu'ils étaient encore attachés à ses chevilles. Vers onze heures j'avais appris que Pete était un problème, "et pourtant je l'aime". Lola avait été informée de mon fiasco conjugal et une ou deux larmes avaient coulé le long de nos deux nez. Nous avions ri, aussi, de nos Problèmes, et pouffé un bon coup à propos de leur propension commune au port de chaussettes odorantes que raidissait quelque sécrétion mâle inconnue, particulièrement en hiver. La jeune femme avait un rire franc, profond et étonnant, qui semblait surgir de plus bas que ses poumons, et une manière directe de parler qui me charmait. Pas de discours indirect ni d'ironies kierkegaardiennes pour cette fille du Minnesota. "J'aimerais bien savoir ce que tu sais, déclara-t-elle à un moment donné. J'aurais dû mieux étudier. Maintenant, avec les enfants, je n'ai plus le temps." Je marmonnai une quelconque platitude en réponse à cela mais, en réalité, le contenu de notre conversation, ce soir-là, était de peu d'importance. Ce qui comptait, c'était qu'une alliance s'était établie entre nous, une camaraderie ressentie dont nous espérions l'une et l'autre qu'elle durerait. Le non-dit avait régné sur la soirée. En nous séparant, nous nous étreignîmes et, dans un élan d'affection renforcé par l'alcool, je saisis sa face ronde entre mes deux paumes et la remerciai chaleureusement pour tout.

Le caractère éphémère du sentiment humain est proprement risible. Les fluctuations de mes humeurs dans le courant d'une seule soirée me donnèrent l'impression d'avoir un caractère en chewing-gum. J'étais tombée dans les profondeurs déplaisantes de l'attendrissement sur soi-même, un terrain situé à peine au-dessus des basses terres plus hideuses encore du désespoir. Et puis, sotte facile à distraire que je suis, je m'étais, peu après, retrouvée en plein délire maternel, prenant un plaisir fou à faire danser et à cajoler le petit d'homme emprunté à la voisine. J'avais bien mangé, bu trop de vin et embrassé une jeune femme que je connaissais à peine. Bref, je m'étais splendidement amusée, et j'avais bien l'intention de recommencer.

Cela ne vous surprendra peut-être pas d'apprendre que nos cerveaux ne sont pas si différents que ça de ceux de nos mammaliens cousins les rats. Mon ratologue préféré avait passé sa vie à soutenir la cause d'un moi primitif subcortical des affects commun à toutes les espèces, annonciateur des zones du cerveau et des propriétés neurochimiques que nous partageons. C'est depuis quelques années seulement qu'il a commencé à établir une relation entre ce lieu essentiel et l'énigme des niveaux supérieurs de réflexion, d'effet miroir et de conscience de soi – chez les singes, les dauphins, les éléphants, les humains et, aussi, les pigeons (tout récemment) – et à publier des articles sur les différents systèmes de cette chose mystérieuse que nous appelons *le soi*, en enrichissant ses connaissances à l'aide de la phénoménologie, de citations du lumineux Merleau-Ponty et du plus brumeux Husserl, avec la gracieuse assistance de SON ÉPOUSE qui l'a guidé pas à pas dans les sentiers de la philosophie, recourant à Hegel, Kant et Hume lorsque la nécessité s'en faisait sentir (bien que mon bonhomme en eût moins d'usage, ce qui l'intéresse, c'est l'*incarnation*, oui, *Leib*, *schéma corporel*), et a relu attentivement chaque mot, en prenant la peine de corriger les erreurs et de lisser la prose. Non, gémissez-vous, pas elle, pas elle, avec sa taille menue, ses boucles rousses et son sein charmant ! Pas la poétesse ! Eh oui, c'est ainsi, vous répondrai-je en toute gravité. Le grand Boris Izcovitch a commis de fréquents maraudages d'idées dans le cerveau de sa propre épouse, a même rendu hommage à ses contributions. Alors ? Alors ? dites-vous. Tout n'est-il pas bien, dès lors ? Ce n'est PAS bien parce qu'ON ne le croit pas. Il est le Roi Philosophe, le Grand Homme de la Ratologie. Après tout, Cher Lecteur, je vous le demande, combien d'hommes ont remercié leur femme pour tel ou tel service, habituellement à la fin d'une longue liste de collègues et de fondations ? “Sans le soutien inlassable de Muffin Pickle, mon épouse, ainsi que de mes enfants Jimmy Junior et Topsy Pickle, ce livre n'aurait jamais pu être écrit.”

Sans le cortex préfrontal bilatéral de mon épouse, Mia Fredricksen, ce livre n'existerait pas.

“Ce temps-là, c'est fini, me dit ma mère lorsque je l'interrogeai sur les hommes dans sa vie. Je n'ai plus envie de m'occuper d'un homme.” Je me tenais derrière elle quand elle dit cela, en train de lui masser le dos, et je ne voyais que la ligne de ses cheveux blancs coupés droit. “Ton père me manque, reprit-elle. Notre amitié, nos conversations me manquent. Il était capable, après tout, de parler de beaucoup de choses mais, non, je ne vois pas l’avantage de reprendre quelqu’un maintenant. Les veufs se remarient parce que ça leur facilite la vie. Les veuves non, le plus souvent, parce que leur vie en serait plus difficile. Regina est une exception. Je la soupçonne d’avoir besoin de cette attention. Elle flirte avec tout le monde.”

Le menton baissé tandis que j’appuyais doucement mes doigts contre sa nuque, ma mère poursuivit sur le thème des relations entre les sexes en me racontant une histoire : au retour de son club de lecture, la veille au soir, elle était tombée sur Oscar Busley, l’un des résidents mâles en nombre décroissant de Rolling Meadows. Bien que l’âge des conquêtes fût passé pour lui, Oscar avait conservé sa mobilité et accru sa vélocité personnelle au moyen d’un scooter électrique. Busley avait bourdonné au côté de ma mère dans le couloir en bavardant aimablement tandis qu’elle se dirigeait vers son appartement. Lorsqu’ils étaient arrivés devant sa porte, elle s’était arrêtée pour prendre ses clés dans son sac. Le bonhomme devait avoir lâché les poignées du scooter et plongé précipitamment, car ma mère eut la stupéfaction de découvrir Oscar agrippé autour de sa taille. Il l’avait fermement enlacée de ses bras tout en nichant son crâne chauve juste au-dessous de ses seins. Avec une égale rapidité et une force probablement supérieure (elle faisait des haltères deux fois par semaine), ma mère s’était dégagée de cette étreinte malvenue, était rentrée chez elle et avait claqué la porte.

Suivit une brève discussion entre nous à propos de la perte des inhibitions qui se produit parfois dans des cas de démence. Ma mère affirmait, toutefois, que le bonhomme était "tout à fait bien dans sa tête" ; c'était le reste de sa personne qui avait besoin d'être contrôlé. Elle opposa alors à l'histoire d'Oscar Busley celle de Robert Springer. Invitée à un dîner à Saint Paul, elle y avait rencontré l'une des anciennes relations de mon père dans le milieu juridique, Springer, "un homme grand et beau" doté d'une "chevelure magnifique", qui se trouvait là avec Mme Springer. Cette rencontre absolument non-violente consista en une poignée de main accompagnée d'un regard entendu. A ce moment-là, le dos bien frictionné, ma mère s'était assise dans un fauteuil et me faisait face. Des deux mains, paumes en l'air, elle fit un geste d'ouverture. "Il l'a fait durer trop longtemps, tu comprends, juste un peu plus longtemps qu'il n'aurait fallu.

— Et ? demandai-je.

— Et j'ai failli m'évanouir. La pression de sa main m'a traversée de part en part. Mes genoux flageolaient. Mia, c'était délicieux."

Oui, pensai-je, l'atmosphère électrique.

> *... lève tes doigts blancs*
> *Et dénude-moi, touche-moi doucement,*
> *Doucement, doucement, partout.*

Lawrence dans ma tête. Touche-moi doucement.

Le visage mince et ridé de ma mère semblait pensif. Nos esprits voyageaient sur des chemins parallèles. Elle dit : "Je m'attache à toucher mes amis, tu sais, une petite caresse, une étreinte. C'est un problème. Dans un endroit comme celui-ci, beaucoup de gens ne sont pas touchés suffisamment."

Les filles étaient dans tous leurs états. C'était peut-être la chaleur. Il faisait frais à l'intérieur, mais dehors la journée était lourde – un temps de marécage. Alice semblait particulièrement abattue, et ses grands yeux bruns étaient ternes, chassieux. Comme je lui demandais si elle ne se sentait pas bien, elle me répondit que ses allergies la tracassaient. Elles papotaient à propos de Facebook, et des noms de garçons passaient : Andrew, Sean, Brandon, Dylan, Zack. J'entendis plusieurs fois les mots "plus tard, à la piscine", "maillot de bain" et beaucoup de chuchotements et de "chut". Au-delà de la titillante perspective de rencontrer des membres du sexe opposé, il régnait parmi elles une tension supplémentaire, non dépourvue d'excitation mais, quelle qu'elle fût, cette turbulence avait quelque chose d'étouffé, de déplaisant, que je ressentais aussi nettement que l'humidité extérieure. Nikki, tout spécialement, paraissait en pleine confusion. Elle ne pouvait s'empêcher de minauder à la moindre occasion. Les yeux bleu pâle de Jessie paraissaient lourds de significations et, une fois, elle articula sans le prononcer, à l'intention d'Emma, un mot que je ne pus lire sur ses lèvres. Peyton affala à plusieurs reprises sa tête sur la table, comme si elle souffrait d'une attaque soudaine de narcolepsie. Bien que son expression fût indéchiffrable, la position toujours raide d'Ashley était particulièrement rigide et elle remit trois fois en une heure du brillant à lèvres sur sa bouche déjà luisante. Emma aussi semblait préoccupée par quelque mystérieuse plaisanterie à moitié refoulée seulement. J'avais l'impression très forte qu'un texte était inscrit en dessous de tout cela, mais le palimpseste que j'avais sous les yeux comptait tant d'épaisseurs que rien n'en était lisible.

Au fur et à mesure que le cours avançait, il me fallut dissimuler mon irritation. Le visage rond de

Nikki, avec son ombre à paupières étincelante et son mascara épais, qui deux jours à peine auparavant m'avait paru sympathique, avait à présent simplement l'air idiot. Le sourire à peine visible de Joan et son maquillage identique m'écœuraient plus qu'ils ne m'amusaient. Pendant qu'elles rédigeaient leurs poèmes sur le thème de la couleur, je dus me rappeler que certaines d'entre elles n'avaient même pas treize ans – que leur capacité de se contrôler était limitée et que, si je me laissais aller à me couper d'elles, tout l'atelier en pâtirait. Je savais aussi que mon hypersensibilité aux nuances atmosphériques autour de la table, combinée à ma propre lamentable expérience à leur âge, pouvait aisément déformer mes perceptions. Combien de fois Boris avait-il répété : "Mia, tu exagères, tu gonfles tout, c'est complètement disproportionné", et combien de fois m'étais-je vue, un ballon flasque entre les lèvres, souffler dedans et le gonfler lentement jusqu'à en faire une grosse poire ou une longue saucisse, le transformer ainsi d'une chose en une autre ? Non, la même chose, plus grosse seulement : plus d'air.

Après une discussion pas totalement dénuée d'intérêt à propos des couleurs et des sentiments – vert amer et méchant ; bleu triste ou apaisant ou immense ; rouge brûlant, hurleur ; jaune éclatant ; blanc vide et froid ; brun renfrogné ; noir effrayant, mortel ; et rose aérien, sucré – elles s'en furent et moi, l'espionne autoproclamée, adulte et vaccinée, je restai plantée sur les marches suffocantes du petit bâtiment et j'observai.

Alors se déroula devant moi une sorte de danse, une mêlée animée et désordonnée faite d'avancées, reculades et regroupements divers par deux, par trois ou par quatre. Je voyais, à quelques mètres à peine, au coin du petit pâté de maisons, un groupe de cinq garçons joyeusement occupés à échanger des coups, à se gifler, se pousser et se faire des croche-pieds les uns aux autres en s'exclamant : "Va te faire foutre, tu crois quoi ?" et "Dégage, 'spèce d'homo !" A une seule exception près – un garçon plus grand, avec un short ample et une casquette de base-ball posée à l'envers sur la tête – c'étaient des avortons d'amours, beaucoup plus petits que la plupart des filles, mais tous les cinq – le géant inclus – étaient engagés dans ce qui paraissait être une forme maladroite, nourrie de testostérone, de gymnastique de groupe. Pendant ce temps, mes sept se donnaient, elles aussi, en représentation. Nikki, Joan, Emma et Jessie poussaient des glapissements stridents de rire intimidé, en jetant par-dessus l'épaule des coups d'œil à leurs ébauches de prétendants. La somnolence de Peyton paraissait dissipée. Je la vis s'insérer avec agressivité entre Nikki et Joan, se pencher et chuchoter quelque réflexion à l'oreille de Nikki, ce qui provoqua immédiatement chez celle-ci un autre éclat de rire aigu. Ashley, raide comme un bâton, les seins hauts, dressés et pointés, se lança les cheveux dans le dos en deux petites torsions du cou avant de se diriger avec assurance vers Alice. Laquelle l'écouta, ravie, et aussitôt après je vis Emma lancer un regard à Ashley. C'était un regard scintillant, facétieux, mais aussi, réalisai-je avec un éclair d'inconfort, un regard servile.

Tandis qu'elles s'en allaient en groupe épars vers les sauvages toujours aussi tapageurs au coin de la rue, j'éprouvai un mélange de pitié et de crainte – la pitié, très simplement, non parce que je me rappelais un jour en particulier, un garçon, une fille en particulier, ni même la triste période où j'avais été repoussée par Julia et ses disciples : ce que je me rappelais, c'était plutôt cette époque de la vie où tout ce qu'il y a de plus important peut être résumé par "les autres", et cela me paraissait pitoyable. La crainte était plus complexe. Dans son journal, Kierkegaard écrit que la crainte est attirante, et il a raison. La crainte est un appât, et j'en ressentais l'attrait, mais pourquoi ? Qu'avais-je vu ou entendu qui avait fait naître en moi cette légère mais nette attirance ? La perception n'est jamais passive. Nous ne faisons pas que recevoir le monde ; nous en sommes aussi les créateurs actifs. Il y a un côté hallucinatoire à toute perception, et il est facile de provoquer des illusions. Même vous, Cher Lecteur, pouvez être aisément persuadé qu'un bras en caoutchouc est votre propre bras par un charmant neurologue possédant quelques tours dans son sac ou dans les poches de sa veste blanche. Il me fallut me demander si ma situation, ma propre *pause* non désirée à l'écart de la "vraie" vie, mon propre état postpsychotique m'avaient affectée de façons dont je n'étais pas consciente et que je ne pouvais prédire.

Les deux nouveaux amusements qu'Abigail me révéla ce jeudi étaient les suivants :

Un couvre-théière fleuri, tricoté main, qui, tourné dedans dehors, révéla une doublure en tapisserie représentant des monstres femelles aux yeux suintants, à l'haleine enflammée, aux seins garnis de lances et aux longs ergots semblables à des épées.

Un long chemin de table vert brodé d'arbres de Noël blancs qui, une fois retourné et ouvert, dévoilait (de gauche à droite) cinq onanistes féminines joliment représentées sur un fond noir. (Onan, le personnage biblique disgracié, réprouvé pour avoir répandu sa semence sur le sol. Tout en examinant cette rangée de voluptueuses, je me demandai si le terme pouvait s'appliquer à nous autres, qui ne portons pas de semence mais des œufs. Nous gaspillons ces œufs que c'est folie, bien sûr, en les expulsant chaque mois pendant des jours de saignements, mais la plus grande partie du sperme reste, elle aussi, totalement inutilisée – pensée à méditer ailleurs plus longuement.)

Svelte sylphide alanguie sur chaise longue, promenant stratégiquement une plume entre ses jambes écartées.

Dame ténébreuse étendue au bord d'un lit, jambes en l'air, deux mains cachées sous jupons en désordre.

Rousse boulotte à califourchon sur la barre d'un trapèze, tête renversée en arrière, bouche béante, à l'ultime extrémité de l'orgasme.

Blonde rigolarde avec pomme de douche – gouttes figurées au petit point, en un bel éventail de lignes de fil bleu.

Et, enfin, une femme aux cheveux blancs, couchée sur un lit, en longue chemise de nuit, les mains serrées à travers l'étoffe sur son sexe. Ce dernier personnage modifiait l'œuvre entièrement. La jovialité des quatre jeunes jouisseuses devenait soudain poignante, et je pensai à la solitude des consolations masturbatoires, de mes propres consolations esseulées.

Lorsque je relevai les yeux de la tapisserie des femmes s'adonnant à leur plaisir, l'expression d'Abigail me parut à la fois rusée et triste. Elle me dit qu'elle n'avait montré les masturbatrices à personne d'autre qu'à moi. Je lui demandai pourquoi. "Trop risqué" fut sa brève réponse.

C'était étrange, comme je m'étais vite habituée à la position recroquevillée de cette femme, et comme j'y pensais peu pendant que nous nous parlions. J'observai, toutefois, que ses mains tremblaient davantage que la dernière fois que nous nous étions vues. Elle me répéta à trois reprises que personne d'autre que moi n'avait vu "le chemin", comme pour s'assurer de ma discrétion. Je lui dis que jamais je n'en parlerais sans sa permission. Les yeux vifs d'Abigail me donnaient la nette impression que, si elle m'avait choisie comme dépositaire de ses secrets artistiques, ce n'était pas par caprice. Elle avait une raison, et elle le savait. Néanmoins, elle ne s'expliqua guère et me gratifia cet après-midi-là, devant des biscuits au citron et du thé, d'une conversation à bâtons rompus, informe, allant de sa visite de New York en 1938 et de son goût pour la Frick Collection au fait qu'elle avait six ans lorsque les femmes avaient obtenu le droit de vote et, de là, à l'insuffisance du matériel procuré aux professeurs d'art plastique en son temps, telle qu'elle avait dû acheter le sien ou en priver ses élèves. Je l'écoutai patiemment, car je percevais dans sa voix, en dépit de l'insignifiance de ce qu'elle me racontait, une forme d'insistance qui me maintenait sur mon siège. Au bout d'une heure, je sentis qu'elle se fatiguait et je suggérai que nous nous revoyions une autre fois.

Au moment où nous nous séparions, Abigail saisit mes deux mains dans les siennes. La pression qu'elle exerça était faible et tremblante. Ensuite, portant mes mains à ses lèvres, elle les embrassa, tourna la tête de côté et appuya fort sa joue contre le dos de mes doigts. Une fois la porte refermée, je m'adossai au mur du couloir et sentis des larmes me monter aux yeux, mais étaient-elles pour Abigail ou pour moi, je n'en avais aucune idée.

Je savais que Pete était rentré car je l'avais entendu. A présent que je m'étais liée d'amitié avec Lola, le bruit me mettait plus mal à l'aise. J'étais assise au jardin après une longue conversation téléphonique avec Daisy, ma comédienne montante au petit ami gentil mais possessif, "qui veut qu'on soit ensemble à chaque minute où il ne travaille pas". Elle m'avait appelée parce qu'elle *avait besoin* de discuter diplomatie. Daisy voulait trouver la façon parfaite de lui dire "J'ai besoin d'espace". Quand je suggérai que la formule qu'elle venait d'utiliser semblait inoffensive, elle gémit : "Il va détester." Pete détestait quelque chose, lui aussi, mais, heureusement, après quelques minutes seulement ses hurlements cessèrent et la maison voisine devint silencieuse. Peut-être les combattants avaient-ils recouru aux passes d'armes muettes de la copulation. Mon père ne criait pas, Boris ne criait pas, mais le silence aussi peut posséder un pouvoir, davantage de pouvoir, parfois. Le silence vous attire vers le mystère de l'homme. Que se passe-t-il là-dedans ? Pourquoi ne me le dis-tu pas ? Es-tu heureux, malheureux, furieux ? Nous devons être prudents, très prudents avec toi. Tes humeurs sont notre firmament et nous le voudrions toujours ensoleillé. Je veux te plaire, papa, faire des tours et danser et raconter des histoires et chanter des chansons et te faire rire. Je veux que tu me *voies*, que tu voies Mia. *Esse est percipi.* Je suis. C'était si facile avec maman, ses mains autour de mon visage, ses yeux dans les miens. Elle pouvait me crier dessus, aussi, pour mon désordre et mes façons incohérentes, mes crises de larmes et mes éruptions, et alors je regrettais tellement, et il était facile de se réconcilier. Avec Bea aussi mais, toi, tu étais trop loin, et je n'arrivais pas à trouver tes yeux ou, si je les trouvais, ils regardaient en dedans et il y avait de la tristesse dans ce ciel mental. Harold Fredricksen, Avocat. La récitation que j'avais faite, à quatre ans, de la prière du Seigneur : *"Our Father, who art in Heaven, Harold be Thy name*[1]" était un grand sujet d'hilarité dans la famille. Et Boris, oui, Boris aussi, époux, père, père, époux. Une réitération de l'attraction. Que se passe-t-il là-dedans ? Pourquoi ne me le dis-tu pas ? Tes silences me tirent à toi, mais alors il y a des nuages dans tes yeux. Je voudrais enfoncer la forteresse de ce regard, la faire exploser pour te trouver. Je suis l'Esprit combattant de Communion. Mais tu as peur qu'on pénètre en toi, ou, peut-être, tu as peur d'être mangé. Dora la séductrice, la mère pin-up lestée des innombrables gestes et accoutrements de la féminité, bouderies, roucoulements, battements de cils, haussements d'épaules, et des méthodes allusives et détournées qui lui feront obtenir ce qu'elle veut. J'entends le cliquetis de ses bracelets dorés. Comme elle t'aimait, son *bubeleh*, son *boychik*, son chéri, mais il y avait dans cet amour quelque chose d'écœurant, quelque chose de théâtral et d'égoïste, et tu le savais et, dès que tu as été assez grand, tu l'as tenue à distance prudente. Stefan savait, et il savait aussi que, pour elle, il venait en second à tous égards. Deux garçons avec un père aux cieux. Et c'est ainsi, Boris, que nous nous les sommes trimballés, nos parents, et refilés l'un à l'autre. La Pause aussi doit en avoir, père et mère, mais je ne peux pas penser à elle. Je ne veux pas penser à elle.

La présence derrière la porte venait et repartait. Elle était là, et puis elle n'y était plus. Je m'encourageais verbalement à entrer, chaque fois que je la

1. En réalité : *Our Father, who art in Heaven* (Notre Père, qui es aux cieux), *hallowed be Thy name* (que Ton nom soit sanctifié).

sentais, me servant de ma raison pour marquer des points sur cette puissante sensation. Je continuais à penser à la présence comme à une version muette de M. Personne, ce cinglé qui m'envoyait régulièrement des messages mais qui était passé d'un ton de harcèlement malveillant à celui d'un philosophe des marges, ce qui, une fois de plus, me faisait soupçonner Leonard. “La réalité est insignifiante, faite d'événements, d'actions, de potentialités. Considérez ces subjectivités mystérieuses qui modifient le monde mental, l'effet Zénon ! Faites le lien avec Izcovitch, votre époux infidèle. Bien à vous, Personne.”

Ennuyée et troublée par l'allusion à Boris, je tapai rapidement une réponse et l'envoyai, ce que je regrettai aussitôt. Qui êtes-vous et qu'attendez-vous de moi ?

“Je savais qu'il avait sale caractère quand je l'ai épousé”, me confia Lola en fin d'après-midi, tandis que Simon somnolait sur ses genoux et que Flora s'amusait à entrer et sortir d'un bond de sa petite piscine gonflable bleu turquoise. “Mais je n'avais pas d'enfants, alors. Ça fait tellement peur à Flora.” Ces trois phrases parurent flotter dans l'air chaud entre nous, et je me sentis triste. J'aurais voulu dire : *Mais il ne frappe personne, pas vrai ? Il n'est pas violent ?* A peine soulevées, les questions se redéposèrent en moi et je ne prononçai pas les mots. Lola portait un maillot de bain vert, des lunettes de soleil et une casquette de base-ball. Son corps n'avait pas complètement perdu les rondeurs de la grossesse, et elle avait les seins lourds de lait. C'était une femme épaisse mais, en la regardant, je la trouvai jolie. Je supposai que c'était sa jeunesse – sa peau douce, ses courbes, son visage lisse, avec ses yeux gris, son nez légèrement aplati et ses lèvres pleines –, rien en elle n'avait encore succombé à l'âge : ni taches brunes, ni veines protubérantes, ni rides, ni peau molle.

"Je me demande si elle enlèvera cette perruque un jour. Pete la déteste. Je n'arrête pas de lui dire : Qu'est-ce que ça peut faire ? Elle ne la porte pas à l'église. Je crois qu'il avait envie d'une petite chose toute douce..." Lola n'acheva pas. "Il s'inquiète à l'idée qu'il y ait quelque chose qui cloche chez elle, de l'hyperactivité ou un truc comme ça."

Flora, absorbée, donnait à Giraffet un bain plutôt violent. A genoux dans la piscine, elle le faisait sauter de haut en bas en chantant : "Da, da, 'tit Giraffet-dâ. Boum-ba, boum-ba, bébé-bâ !" Giraffet fut abandonné, flottant sur le ventre, et Flora se mit à un nouveau jeu : appuyée sur les coudes, elle battait des pieds avec une telle énergie qu'elle m'aspergeait les jambes. "Regarde, maman ! Regarde, maman ! Regarde, Mia !"

Mes sentiments à l'égard de Pete s'assombrissaient. Quel idiot.

Le fils de Pete s'éveillait en se tortillant. Il agita ses petits poings devant son visage, se mit à tendre les genoux et le dos et, le temps que je le prenne dans mes bras quelques minutes plus tard, il était tout à fait conscient et ses yeux noirs comme des pépins fixaient les miens. Je caressai le duvet sur son crâne, examinai les moues et les grimaces de sa bouche. Je lui parlai et il me répondit par des sons menus. Au bout d'un moment, il se tourna et commença à chercher le sein, et je sentis dans ma poitrine l'ombre d'une sensation, un souvenir corporel. Je le rendis à Lola. Une fois son fils confortablement installé, elle me regarda et dit : "Il ne voulait pas d'elle, au début. Je suis tombée enceinte. Nous avions déjà prévu de nous marier, ce n'était pas ça. Il était trop tôt pour lui." Lola se laissa aller contre son dossier. "Pete est un anxieux. Ça aussi, je le savais. Il avait une sœur aînée qui est née avec des tas de choses qui n'allaient pas, vraiment retardée. Ils avaient dû la mettre dans une institution. Elle n'a jamais appris à marcher ni à parler, ni rien. Elle est morte quand elle avait sept ans. Pete n'aime pas en parler." Lola examina le vernis de ses ongles. "Son père n'est jamais allé la voir, pas une fois. Tout ça, c'était vraiment terrible pour sa mère. Tu peux imaginer."

Je pouvais imaginer. Je regardai les nuages, une épaisse configuration de cirrus, et, tandis que j'observais une tête balançant de longues mèches de cheveux se détacher lentement d'un long cou affaibli, je me rendis compte que je m'étais sentie plus à l'aise avec Pete dans l'énigme de ses colères qu'avec ce nouveau personnage, le jeune homme à la sœur morte.

Ce fut peut-être le vide général de la vue – du maïs et du ciel. Ce fut peut-être la chaleur ou mon propre désespoir silencieux ou simplement le désir de fanfaronner et de jacasser pour remplir un présent irrémédiablement terne mais, quand Lola m'interrogea sur la vie à New York, je la régalai d'une histoire après l'autre et je l'écoutai rire. J'insistai sur le grossier, le lascif, l'exotique. Je fis de la ville un continuel carnaval de frimeurs, de bonimenteurs et de clowns dont les culbutes et les frasques constituaient un divertissement majeur. Je lui parlai de Charlie et Wayne, deux poètes qui en étaient presque venus aux mains à propos d'Ezra Pound au cours d'une longue journée s'achevant en longue nuit de beuverie, pour se conclure par un authentique concours de pisse sur le toit d'un immeuble de SoHo. Je lui parlai de Miriam Hunt, l'héritière vieillissante aux gros sous, petits nénés, visage refait et sacs Hermès, qui, fidèle à son patronyme, traquait les jeunes savants intéressés par son fric en s'approchant d'eux en douce pour leur murmurer des douceurs à l'oreille : "Combien disiez-vous que coûterait le projet de recherche que vous proposez ?" Je lui parlai de mon ami Rupert qui, au beau milieu d'une opération de changement de sexe, arrêta tout, décidant que le deux-en-un était la solution. Je lui parlai du milliardaire octogénaire qui fut mon voisin de table à un dîner de bienfaisance et qui péta et soupira, péta et soupira, péta encore et soupira encore tout au long du repas, comme s'il était chez lui aux toilettes. Je lui parlai de mon copain sans domicile, Frankie, dont les enfants, frères, sœurs, cousins, tantes et oncles mouraient à une cadence d'environ deux par semaine après avoir contracté des maladies rares ou pittoresques, dont le scorbut, la lèpre, la dengue, le syndrome de Klinefelter, la leptospirose, une insomnie familiale mortelle et la maladie de Chagas. En vérité, Frankie possédait une provision de parents si abondante qu'il oubliait entre nos rencontres sur la Septième Avenue les noms des morts récents.

Les yeux brillants de plaisir et d'intérêt, Lola écoutait mes contes cosmopolites, tous véridiques mais tous, néanmoins, fictionnels. Dépouillés d'intimité et vus d'une distance considérable, nous sommes tous des personnages comiques, de risibles bouffons qui allons trébuchant dans nos vies en créant de beaux désordres en chemin, mais si l'on se rapproche, le ridicule vire rapidement au sordide, au tragique ou à la simple tristesse. Peu importe que vous soyez coincé dans un trou perdu comme Bonden ou en train de vous balader sur les Champs-Elysées. Le plus triste, dans tout ça, c'était mon désir d'être admirée, mon désir de me voir comme un reflet brillant dans les yeux de Lola.

Je n'étais pas différente de Flora. Regarde-moi, maman ! Regarde-moi faire la roue, papa ! Regardez Mia faire des danses verbales dans le jardin envahi de mauvaises herbes de Sheri et Allan Burda, embelli d'une piscine pour enfants qui s'affaisse à vue d'œil.

Ce soir-là, je reçus de Boris un message m'informant que Roger Dapp revenait de Londres, ce qui signifiait qu'il perdait son gîte provisoire et allait s'installer chez nous avec la Pause. Pour le moment, la chose était "pratique". Il voulait que je le sache. Ce n'était que "juste". Je pris cela comme une femme. Je pleurai.

Vous pouvez bien vous demander pourquoi diable je voulais encore de Boris, un homme qui déclare à son encore-épouse qu'il crèche avec sa nouvelle moitié pour des raisons "pratiques", comme si ce nouveau et choquant arrangement ne dépendait que de l'immobilier new-yorkais. Moi-même, je me demandais pourquoi je voulais de lui. Si Boris m'avait quittée au bout de deux ans, voire de dix, le mal aurait été considérablement moindre. Trente ans, c'est long, et un mariage s'enracine, prend un aspect presque incestueux, soumis au rythme complexe des sentiments, du dialogue et des associations. Nous étions arrivés au point où une histoire, une anecdote entendue lors d'un dîner faisait naître simultanément la même pensée dans nos deux têtes, et la question était simplement de savoir qui de nous deux l'exprimerait à haute voix. Nos souvenirs aussi avaient commencé à se mêler. Boris jurait ses grands dieux que c'était lui qui était tombé sur le grand héron bleu debout au seuil de la maison que nous avions louée dans le Maine, et je suis tout aussi certaine d'avoir vu seule l'énorme oiseau et de le lui avoir raconté. Il n'est pas de réponse à cette énigme, pas le moindre document – rien que le tissu léger et fluctuant de la mémoire et de l'imagination. L'un de nous avait écouté l'autre raconter l'histoire, avait vu en esprit la rencontre avec l'oiseau et avait créé un souvenir à partir des images mentales qui avaient accompagné le récit entendu. Dedans et dehors se confondent aisément. Toi et moi. Boris et Mia. Chevauchement mental.

Je ne parlai pas à ma mère du nouveau statut de la Pause. Ça l'aurait rendue réelle, plus réelle que je ne voulais l'accepter pour le moment. Dommage que je suis réelle, avait dit Flora. Elle aurait voulu entrer dans la petite maison et habiter avec ses jouets. Dommage que je ne sois pas un personnage de livre ou de pièce de théâtre, non que les choses se passent tellement bien pour la plupart d'entre eux, mais alors je pourrais être récrite ailleurs. Je vais, moi, me récrire ailleurs, pensai-je, réinventer l'histoire sous un éclairage nouveau : je suis mieux sans lui. A-t-il jamais accompli une corvée ménagère dans sa vie, en dehors de la vaisselle ? Avait-il, oui ou non, l'habitude de t'éteindre comme si tu étais une radio ? Ne t'a-t-il pas interrompue des milliers de fois au milieu d'une phrase comme si tu n'étais rien qu'un peu d'air, une Mme Personne, une disparue à sa table ? N'es-tu pas "encore belle", selon les termes de ta mère ? N'es-tu pas encore capable de grandes choses ?

Les Heurs et Malheurs de la célèbre Mia Fredricksen, qui naquit à Bonden et qui, durant une Existence incessamment variée de Trois Fois Vingt années, hors son enfance, fut poétique Amante et Maîtresse des Uns et des Autres, Epouse pendant trente années (de Naturaliste et Fripouille), conquit enfin Fortune et Renom grâce aux Efforts concertés de sa Plume, vécut principalement Honnête et mourut Impénitente.

Ou : "Nul ne savait qui était Fredricksen. Elle arriva dans le village de Bonden dans le courant de l'été 2009, en silencieuse inconnue qui gardait son Colt bien huilé roulé dans son tapis de selle, mais pouvait en faire un usage mortel quand le besoin s'en présentait."

Ou : "Je distinguais son pas, sans cesse arpentant le plancher, et elle brisait fréquemment le silence d'une profonde inspiration ressemblant à un grondement. Elle marmonnait des mots sans suite ; le seul que je pus saisir était un prénom, Boris, assorti de termes délirants de tendresse ou de souffrance et prononcés comme l'on s'adresserait à une personne présente – sourds, intenses, arrachés aux profondeurs de l'âme." Mia en Heathcliff, cadavre terrible et ricanant, qui hante un appartement de la 70e Rue est de Manhattan, revenant inlassablement tourmenter Izcovitch et sa Pause.

Toute l'histoire est dans ma tête, n'est-ce pas ? Je ne suis pas philosophiquement naïve au point de croire que l'on peut établir une quelconque réalité empirique de L'HISTOIRE. Nous n'arrivons même pas à nous mettre d'accord sur ce dont nous nous souvenons, bon sang. Nous étions dans un taxi quand Daisy, alors âgée de dix ans, nous a fait part de ses ambitions théâtrales. Non, nous étions dans le métro. Taxi. Métro. Taxi ! Le problème, c'était que toutes sortes de Boris se trouvaient DANS MA TÊTE. Il y tournait en rond absolument partout. Même si je ne le voyais plus jamais en chair et en os, Boris en tant que mécanisme de pensée restait inévitable. Combien de fois m'avait-il massé les pieds pendant que nous regardions un film ensemble, en pétrissant et caressant patiemment les plantes et les orteils et la cheville autrefois victime d'une mauvaise fracture et souffrant d'arthrose ? Combien de fois avait-il levé les yeux vers moi avec une expression d'enfant heureux après que je lui avais lavé les cheveux dans la baignoire ? Combien de fois m'avait-il embrassée et bercée après l'arrivée d'une lettre de refus ? Ça aussi, c'était Boris, vous voyez ? Ça aussi, c'était Boris.

J'arrivai au cours avec deux minutes de retard. De l'escalier, j'entendis des éclats de rire, des cris et la familière et moqueuse psalmodie : "Oh là làà !" A l'instant où j'entrai dans la pièce, les filles se turent. En m'approchant, je vis que tous les yeux étaient fixés sur moi et que quelque chose traînait au milieu de la table : un bout de chiffon maculé. C'était quoi ? Un kleenex taché de sang.

"Quelqu'un a saigné du nez ?"

Silence. Je passai en revue leurs sept visages fermés et une expression datant de l'enfance me revint à l'esprit : *c'est quoi ce binz ?* Aucun nez ne paraissait le moins du monde abîmé. Je saisis entre le pouce et l'index un coin encore intact du mouchoir souillé et le menai à la corbeille à papier. Je demandai alors si quelqu'un voulait bien m'éclairer quant au "mystère du kleenex sanglant", cependant qu'apparaissait et disparaissait une image mentale d'Alice Roy dans son bolide bleu.

"On l'a trouvé là, dit Ashley. Quand on est entrées, mais c'était si dégueu que personne n'a voulu y toucher. Ça doit être le concierge ou quelqu'un qui l'a mis là."

Je vis Jessie serrer fort les lèvres.

"Dégueulasse, fit Emma. Comment quelqu'un a pu laisser ça là comme ça ?"

Alice, rigide, regardait fixement la table.

Nikki jeta un coup d'œil à la corbeille et fit la grimace. "Y a des gens qui sont pas propres, et voilà."

Joan hocha la tête en un assentiment empressé. Peyton avait l'air gênée.

"Il y a bien des choses pires qu'un kleenex taché d'un peu de sang. Abordons le vrai sujet du jour : l'absurde."

J'étais armée de poèmes : comptines, Ogden Nash, Christopher Isherwood, Lewis Carroll, Antonin Artaud, Edward Lear, Gerard Manley Hopkins. J'espérais ramener leur attention de la corbeille à papier aux plaisirs qu'on peut trouver à subvertir le sens. Nous écrivîmes toutes. Elles semblaient s'amuser et je complimentai Peyton pour son poème "succulent".

> Lèche-babines et bouche-fondant
> Craque croustille
> et chatouille-papilles
> mou-moelleux mou-mielleux
> mou-goûteux choulléchant.

Peu avant la fin du cours, pendant qu'Alice lisait son assez triste *nonsense*, "Esseule au bond d'un fois obdur…", Ashley se mit à tousser, fort. Elle s'excusa, déclara qu'elle avait besoin de boire quelque chose et quitta la pièce.

Quand le cours fut terminé, elles sortirent toutes précipitamment, sauf Alice, qui s'attardait. Bien que morose, elle me paraissait particulièrement jolie ce jour-là, en t-shirt et short blancs, et je m'approchai d'elle et m'apprêtais à parler quand j'entendis quelqu'un derrière moi.

Il s'avéra que c'était la mère de Jessie, une femme replète, d'une bonne trentaine d'années, aux cheveux blond cendré coiffés et laqués avec soin. A sa mine, je compris instantanément qu'elle était en mission de très haute importance. Ni la mère de Jessie, ni Jessie elle-même ne semblaient s'être attendues à un atelier de poésie du genre du *mien*. Elle s'était aperçue que j'avais donné aux filles un poème de, profonde inspiration, "D. H. Lawrence". Le nom de l'écrivain à lui seul, apparemment, augurait un danger pour les imaginations encore non pollinisées des fleurs de Bonden. Quand j'expliquai que *Le Serpent* est un poème au sujet d'un homme qui observe attentivement l'animal et se sent coupable de l'avoir effrayé, la mâchoire de la dame se raidit. "Nous avons nos convictions", déclara-t-elle. Cette femme n'avait pas l'air stupide. Elle avait l'air dangereuse. A Bonden, une rumeur, un commérage, voire carrément une médisance peuvent se répandre à une vitesse surnaturelle. Je la calmai en l'assurant de mon grand respect pour les convictions de toutes espèces – un mensonge caractérisé – et, à la fin de notre conversation, j'avais l'impression d'avoir apaisé ses inquiétudes. Une phrase me restait en tête, cependant. "Dieu désapprouve cela, je vous le dis. Il désapprouve." Je le voyais, le Dieu le Père personnel de Mme Lorquat, occupant le ciel entier, un type rasé de près en costume-cravate, les sourcils froncés, d'une sévérité implacable, totalement dénué d'humour et amateur de la médiocrité, Dieu en tant que quintessence du critique américain.

Lorsque je cherchai Alice des yeux, elle avait disparu.

J'avoue maintenant que je m'étais déjà engagée dans un échange de correspondance avec M. Personne. En réponse à mon interrogation, qui était-il et que voulait-il, il avait écrit : “Je suis l’une de tes voix, tu as le choix, une voix oraculaire, une voix plébéienne, une voix d’orateur-pour-l’éternité, une voix de fille, une voix de garçon, un aboiement, un hurlement, un pépiement. Blessante, cajolante, irritée, bienveillante, je suis la voix venue de Nulle Part pour te parler.”

Je cédai, poussée par mon sentiment de solitude, une solitude mentale particulièrement douloureuse. Boris avait été mon mari, mais il avait aussi été mon interlocuteur. Nous nous instruisions mutuellement et, sans lui, je n’avais plus personne avec qui danser. J’écrivais à des amis poètes mais la plupart d’entre eux étaient aussi enfermés dans leur monde poétique que la plupart des collègues de Boris avaient été des neuro-reclus. Ce Personne était un sauteur et un virevolteur. Il passait d’un bond de *La Monadologie* de Leibniz à Heisenberg et Borg à Copenhague, et de ceux-ci à Wallace Stevens quasiment sans reprendre son souffle et, en dépit de sa dinguerie, je le trouvais distrayant et je lui répondais, lui opposant contre-arguments et nouvelles idées en spirale. C’était un antimatérialiste rigoureux, cela, je l’avais compris. Il crachait sur les adeptes du physicalisme, tels Daniel Dennett et Patricia Churchland, et exaltait un monde postnewtonien qui avait laissé de sa substance dans la poussière. Omnivore intellectuel qui semblait s’être poussé aux limites de son propre cerveau tourbillonnant, il n’allait pas bien, mais il était amusant. Quand je lui écrivais, je voyais toujours une image de Leonard. Nous avons presque tous besoin d’une image, après tout, de quelqu’un à voir, et c’est ainsi que je dotai M. Personne d’un visage.

Cette nuit-là, je rêvai que je m'éveillais dans la chambre au Bouddha sur la commode, où je dormais. Je sortais du lit et, bien qu'il n'y eût guère de lumière, je remarquais que les murs étaient mouillés et brillants. Je tendais la main, posais les doigts sur la surface humide, les portais à ma bouche et sentais un goût de sang. Alors, dans la chambre voisine, j'entendais un enfant hurler. Je me ruais par la porte, apercevais un ballot de chiffons blancs sur le sol et commençais à tirer dessus pour démêler ces loques et découvrir l'enfant, mais tout ce que je trouvais, c'était de plus en plus de couches superposées. Je m'éveillai, haletante. Je m'éveillai dans la chambre où le rêve avait commencé, mais l'histoire ne s'arrêta pas là. J'entendais des hurlements. Etais-je encore endormie ? Non. Le cœur battant la chamade, je compris que le bruit venait de la maison voisine. Grand Dieu, pensai-je, Pete. J'enfilai un peignoir et traversai le jardin en courant. Sans frapper ni sonner, je m'engouffrai dans la maison.

Là, je vis une Flora sans perruque, boucles brunes exposées, à plat ventre sur le plancher du salon, en train de pousser des cris aigus. Son petit visage était violacé de fureur et ses joues brûlantes inondées de larmes et de morve ; elle renversa une chaise avec ses talons, tout en martelant le sol de ses poings. Dans la chambre à l'étage retentissaient les pleurs désespérés et étranglés de Simon, et devant moi se tenait Ashley. Debout à moins d'un mètre de Flora, elle regardait l'enfant avec des yeux vides, morts, et je vis sa bouche se tordre un instant. Quand elle comprit que quelqu'un était entré et que, au même instant, elle me reconnut, j'observai la métamorphose immédiate de son attitude en une expression d'inquiétude et d'impuissance. Je fondis sur Flora, l'enlevai dans mes bras et la serrai contre moi. La crise ne s'apaisa pas, mais je me mis à parler. "C'est Mia, ma chérie, Mia. Qu'est-ce qui se passe ?" C'est alors que je me rendis compte qu'elle hurlait : "Je veux mes veux ! Veux !"

"Où est sa perruque ?"

Ashley me regarda. "Je l'ai jetée. C'était dégueu.

— Va la chercher tout de suite !" grondai-je.

Flora cessa de se contorsionner à l'instant où ses "veux" lui furent rendus et, l'enfant reniflante dans mes bras, je montai dans la chambre pour venir en aide à Simon. J'expliquai à Flora qu'il fallait que je la dépose pour pouvoir récupérer Simon, je lui conseillai de se tenir à ma jambe. Le petit corps du bébé était parcouru de sanglots convulsifs. Je le pris et me mis à le bercer jusqu'à ce qu'il se calme. A nous trois, un corps à trois têtes désormais, nous redescendîmes lourdement et lentement dans le salon.

La personne que j'avais aperçue à mon arrivée avait disparu. A sa place se trouvait l'Ashley que je connaissais en classe, une personne qui était soulagée que je sois arrivée, une personne qui avait été dépassée, qui n'avait pas su que faire lorsque Flora avait barbouillé sa perruque de beurre de cacahuètes, qui aurait voulu prendre Simon mais avait eu peur de quitter Flora. Tout cela était parfaitement raisonnable. Lola et Pete n'étaient-ils pas des inconscients, de confier deux enfants de moins de quatre ans à une gamine de treize ? Je ne discutai pas avec elle. Je lui dis que je comprenais. Qu'aurais-je pu dire ? En entrant, j'ai aperçu en toi quelque chose qui m'a choquée ? Je l'ai deviné à tes yeux, à ta bouche ? De telles intuitions ne comptent pas dans les rapports sociaux ; elles peuvent être justes, mais les exprimer paraît folie. Après nous avoir installés tous les trois sur le canapé, je demandai à Ashley de m'apporter un biberon pour Simon et la renvoyai chez elle.

Les deux enfants étaient épuisés. Simon s'effondra dès la fin de son biberon, ses petits poings serrés contre mes clavicules. Flora trouva un peu plus bas un endroit où s'accrocher à mon corps et posa la tête sur mon ventre. Nous dormîmes.

Je m'éveillai en sentant Lola me toucher. Sa main se promenait sur mon front et dans mes cheveux. J'entendais des pas dans l'entrée : Pete le coléreux, ou le pitoyable (en fonction de mon humeur), et je sentis que Lola soulevait Simon de mes bras. Elle exhalait une odeur d'alcool et ses yeux avaient une expression mouillée, sentimentale. Je lui fis un bref résumé. Tout ce qu'elle fit, ce fut sourire, ma Madone de la villa-modèle, dans son petit haut scintillant et décolleté, son jean moulant et ses boucles d'oreilles dorées de sa fabrication : deux tours Eiffel qu'en se penchant sur moi elle animait d'un léger balancement.

Nous eûmes, le Dr S. et moi, à propos des dispositions adoptées par Boris pour son logement, une longue conversation durant laquelle je laissai échapper un petit seau de larmes, et ensuite je lui parlai du kleenex sanglant, de la disparition d'Alice, de la réclamation de Mme Lorquat et du visage d'Ashley. J'utilisai la phrase : "Je sens que quelque chose mijote" et vis des sorcières en train d'ébouillanter des crapauds pendant leur sabbat. Le Dr S. convint qu'il était tout à fait possible que les filles fussent engagées dans une campagne de popularité, mais que rien n'indiquait quoi que ce fût de plus sinistre. Mon rêve de sang l'intéressa davantage. Les chiffons. Le Changement. Plus jamais d'enfants. Les minots des voisins. On éprouve une tristesse mélancolique à la fin de la fertilité, une nostalgie, non d'un retour aux jours où l'on saignait, mais la nostalgie de la répétition pour elle-même, de la régularité du rythme mensuel, de l'invisible attraction de la Lune en personne, à qui l'on a un jour appartenu : Diane, Ishtar, Mardoll, Artémis, Luna, Albion, Galatée – croissance et décroissance – vierge, mère, vieille.

En classe, je me surpris à examiner le visage d'Ashley en quête d'un vestige quelconque de l'effrayante baby-sitter, mais je n'en vis nulle trace. Les autres gamines me parurent un peu réservées, mais disposées à coopérer, et je n'eus à confisquer aucun téléphone. Et Alice, Alice avait l'air heureuse, plus qu'heureuse. Elle avait l'air d'exulter. Je ne l'avais encore jamais vue radieuse. Ses yeux étincelaient, et le poème qu'elle écrivit avait un ton enlevé que j'aurais cru incompatible avec son caractère : "Aujourd'hui, je déballe tout / Je chante sur une comète / Je gueule dans les nuages / Je danse sur le soleil." Il est arrivé quelque chose, me disais-je. Alice partit la dernière, comme souvent. Debout à côté de la table, elle rangeait soigneusement dans son sac son cahier et ses stylos, tout en fredonnant quelques notes d'une mélodie non identifiable.

"Tu es de bonne humeur."

Elle leva les yeux vers moi et sourit ; ses bagues brillèrent un instant d'un éclat argenté dans la lumière de la fenêtre.

"Une bonne nouvelle ?"

Alice fit signe que oui.

Je fixais son jeune visage d'un regard encourageant.

"Vous allez peut-être trouver ça idiot, dit-elle. Mais j'ai reçu un message, un chouette message, d'un garçon que j'aime bien.

— Ce n'est pas idiot ! dis-je. Je me rappelle. Je me rappelle combien c'était bon."

Tandis que nous nous dirigions vers la porte, je lui dis qu'elle devrait continuer à écrire. Elle rit. C'était peut-être la première fois que je l'entendais rire. Dehors, elle descendit les marches d'un bond, se retourna pour me saluer de la main et se mit à courir. Un peu plus loin, elle ralentit, mais sa joie restait visible dans le surplus d'énergie qu'elle donnait à son pas.

Ce fut le titre qui me donna à penser. *Persuasion*. Ma mère lisait ce livre en vue de la prochaine réunion de son club de lecture avec les autres Cygnes, et elles m'avaient invitée, moi, Madame la Diplômée, à prononcer quelques mots d'introduction. Une histoire d'amour ajourné, d'amour trouvé, perdu et retrouvé. L'héroïne d'Austen est persuadée de renoncer à LUI. Persuader : influencer, pousser, amener, induire, inciter, peser sur, cajoler, convaincre, l'action des mots, principalement, des mots qui jouent sur la faiblesse, sur un point vulnérable. Langues mielleuses agitées en flatterie doucereuse des hommes voulant des femmes qu'elles écartent les jambes, la douce palabre qui vient à bout de la résistance féminine. Femmes rusées exhortant les hommes à tel ou tel crime ; la séductrice glacée du cinéma, avec son minuscule revolver à crosse nacrée dans son sac à main. Volubile, Rosalind Russell claque ses répliques à Cary Grant dans *His Girl Friday*. L'amour : une guerre verbale. Schéhérazade poursuit son récit et reste en vie encore une nuit. Les troubadours brament et se pâment pour les faveurs d'une dame. Je la conquerrai à l'aide de mots et de musique. Je transformerai l'anatomie humaine en roses, en étoiles et en mers.

Je disséquerai le corps de l'Aimée en métaphores. Je la complimenterai. Je la séduirai par mon esprit. "Si le monde était à nous, et le temps..." Je raconterai des histoires. Je resterai en vie une nuit encore. Les comédies finissent par un mariage, les tragédies dans la mort. A part cela, elles ne sont pas si différentes. A la fin, Schéhérazade épouse l'homme qui voulait la tuer, mais il est entiché d'elle à ce moment-là. Anne Elliot épouse le capitaine Wentworth. La conclusion est expédiée. Ce qui compte, c'est qu'elle l'ait récupéré et qu'ils se marient mais en esprit, Austen le sait bien, ils sont mariés depuis longtemps et ont souffert durant six longues années le vide de la séparation. Cette histoire de Mia et Boris commence au plus profond d'un mariage, après des années de bonne entente sexuelle, de conversations et de bagarres. Si ce doit être une comédie, elle doit se situer alors dans le territoire de Stanley Cavell, les comédies de la répétition, des couples déjà mariés qui se retrouvent. Le philosophe nous offre une parenthèse pénétrante : "(Les humains peuvent-ils changer ? On peut considérer l'humour – et la tristesse – des comédies de remariage comme résultant du fait que nous ne possédons pas de bonne réponse à cette question.)"

Les éléates ne croyaient pas au changement, au mouvement. Quand une chose cesse-t-elle d'être elle-même et en devient-elle une autre ? Diogène va et vient en silence.

Pouvons-nous changer et rester nous-mêmes ? Je me souviens. Je répète.

Cher Boris,

Je pense à toi dans la baignoire, en train de fumer un cigare. Je pense à ce jour où ta fermeture éclair s'est bloquée, à Berkeley, et c'était l'été et tu n'avais pas mis de caleçon et tu devais faire une conférence, alors tu as tiré sur les pans de ta chemise et espéré que nulle brise ne viendrait révéler Sidney au public de trois cents têtes ou plus, et je pense au temps et aux failles et aux pauses, et que parfois tu m'appelais la Rouquine, ou la Frisée, ou Boule de Flammes, et je t'appelais Ollie après que ton ventre avait un peu grossi et, au lit, Izcovitch *in naturalibus*, et voilà, c'est tout, sauf que Bonden, ce n'est pas si mal, encore qu'un peu lent et recuit. J'attends la visite de Bea et puis de Daisy et maman va bien et j'ai pensé à Stefan, aussi, mais aux jours insouciants, les rires, les Trois Mousquetaires dans le vieil appartement de Tompkins Place et voilà c'est vraiment tout. Je t'embrasse, Mia.

Le Dr S. me parla de la pensée magique. Elle avait raison. Nos vœux ne peuvent pas faire exister nos mondes. Beaucoup dépend du hasard, de ce que nous ne contrôlons pas, des autres. Elle ne me dit pas qu'écrire à Boris était une mauvaise idée mais, enfin, elle ne jugeait jamais rien. C'était cela *sa* magie.

Lola m'apporta des boucles d'oreilles, deux Chrysler Buildings miniatures. Je lui avais dit que c'était mon immeuble préféré à New York, et elle en avait fabriqué deux reproductions en délicat fil d'or. En les tenant devant moi, je ne pus éviter de penser aux deux immeubles de la ville qui avaient été une paire, des jumeaux, et une sensation de tristesse me réduisit au silence pendant un moment, mais ensuite je la remerciai avec enthousiasme, je les essayai, et elle sourit. En voyant son sourire, je réalisai combien elle était calme, accommodante, stable, et compris que ces qualités apparentées, proches de la langueur, étaient ce qui m'attirait en elle. Je devinais qu'à l'intérieur de sa tête, le discours qui se poursuivait était également tranquille. Ma tête à moi était un entrepôt de polyphonies verbales, les *flux de mots** de contradicteurs innombrables qui, avec des arguments mordants, se disputaient, débattaient et s'enferraient les uns les autres, et puis recommençaient de plus belle. Quelquefois, ce bavardage intérieur m'épuisait. Lola n'était pas fade, toutefois. J'avais connu des gens qui m'ennuyaient à mourir parce qu'aucun colloque ni aucune délibération ne semblaient se tenir dans leur tête (les STUPIDES ET CONTENTS DE L'ÊTRE) et d'autres qui, quelle que fût leur capacité de cogitation complexe, vivaient dans une bulle impénétrable, inaccessible au dialogue (les INTELLIGENTS MAIS MORTS). Lola n'appartenait à aucune de ces catégories et, bien que ses propos ne fussent ni originaux ni spirituels, je devinais dans son corps une perspicacité absente de son langage. De légères altérations de l'expression de son visage, un lent mouvement de ses doigts ou une tension nouvelle de ses épaules pendant que je parlais me donnaient conscience de l'intensité avec laquelle elle m'écoutait, et elle paraissait capable d'écouter même lorsqu'elle était occupée à ajuster le short de Flora ou à pourvoir Simon d'un bavoir propre. Je soupçonne qu'elle savait, sans avoir besoin de se le dire, que je l'admirais.

L'offrande des Chrysler Buildings eut lieu un samedi, si je ne me trompe, et je me trompe souvent en ce qui concerne les jours et les dates mais, dans mon souvenir, Simon dormait, bien sanglé dans une poussette, et la perruque de Flora ne se trouvait pas sur sa tête. L'enfant la tenait d'abord serrée dans ses bras, suçait ensuite une mèche épaisse tout en méditant profondément quelque sujet connu d'elle seule, et enfin l'abandonnait pour courir dans la chambre à coucher afin d'examiner le Bouddha des professeurs. Tous trois avaient l'air exceptionnellement propres et briqués. Ils partaient rendre visite aux parents de Lola à White Bear Lake. Comme j'admirais les tenues des enfants, Lola soupira et dit : "Si seulement ça pouvait durer. Tu ne peux pas imaginer le nombre de fois où, en arrivant là-bas, Flora avait renversé du jus de raisin, Simon avait recraché et où moi, j'étais toute collante. J'ai des vêtements propres pour eux dans la voiture."

Ce jour-là, Flora me présenta Moki. En me parlant de lui, elle se balançait d'avant en arrière, avançait la lèvre inférieure, faisait la moue, tournait la tête en tous sens et respirait bruyamment entre les phrases.

"Il a été méchant aujourd'hui. Trop crié. Trop crié. Et trop sauté.

— Sauté ?"

Flora me décocha un sourire, ses yeux brillaient d'excitation. "Il a sauté sur la maison. Et puis il s'est envolé.

— Il sait voler ?"

Elle hocha la tête avec énergie. "Mais il peut pas aller vite. Il a volé lentement, comme ça." En guise de démonstration, elle remuait bras et jambes comme si elle nageait dans l'air.

Venant tout contre moi, elle ajouta : "Il a sauté au plafond et par la fenêtre et sur une voiture !

— Ouah !" fis-je.

Elle continua de jacasser à son sujet ; sa mère souriait. Elles devaient attendre Moki parce qu'il lambinait. Moki aimait les cookies aux pépites de chocolat, les bananes et la limonade, et il avait de beaux cheveux longs et blonds. Il était fort, aussi, capable de soulever des objets lourds, "même des camions" !

Moki vivait. Après leur départ, je méditai un moment sur l'imaginaire et le réel, sur l'accomplissement des souhaits, sur les fantasmes, sur les histoires que nous nous racontons à propos de nous-mêmes. Le fictif est un territoire immense, en fin de compte, ses frontières sont vagues et on ne sait pas exactement où il commence et où il finit. Nous agençons les illusions en fonction d'un accord collectif. L'homme qui croit émettre des rayons toxiques alors que personne autour de lui ne semble en être affecté le moins du monde peut sans risque être considéré comme souffrant d'une pathologie ou d'une autre et interné dans une chambre verrouillée. Mais disons que le fantasme de cet homme est si vif qu'il affecte son voisin, lequel commence alors à souffrir de migraines et de crises de vomissements, et qu'une hystérie collective s'ensuit, la ville entière prise de vomissements – n'y a-t-il pas là quelque AMBIGUÏTÉ ? Le vomissement est réel. Je pensai aux folles qui agitaient les bras et se blessaient dans le cimetière de Saint-Médard, à leurs délires et convulsions épouvantables, à leurs plaisirs hideux, à leur façon glorieuse de TOUT subvertir. Et moi, que pensais-je dans ma folie ? Je pensais que Boris, de concert avec "eux", se dressait contre moi, et c'était en vérité une illusion et, pourtant, n'était-ce pas aussi un hurlement de protestation contre ce que les choses sont pour moi, un appel du cœur à être vraiment VUE, non pas enterrée dans les clichés et les mirages des désirs d'autrui, enterrée jusqu'au cou comme la pauvre Winnie ? Beckett savait. Ne m'ont-*ils* pas déformée avec ma complicité ? La Nora d'Ibsen danse la tarentelle, mais cela devient intenable. C'est trop féroce. Abigail cache son aspirateur en train d'avaler la ville. C'est trop féroce. Je peux voir aux sourcils de mon père que ce n'est pas bien, à la bouche de ma mère que ce n'est pas convenable, à la moue de Boris que je suis trop bruyante – trop violente. Je suis trop féroce. Je suis Moki. Je bondis sur la maison, mais je ne sais pas voler.

> Je crois vraiment que, le 23 mars 1998, la seule personne qui a vu Sidney, c'était toi.
>
> Boris.

Quand j'ai lu ça, j'ai souri. Evidemment, il connaissait la date. Son cerveau est un foutu calendrier. J'étais contente qu'il se soit souvenu que je m'étais précipitée sur la porte non zippée du petit soldat en personne, au garde-à-vous dès l'instant où j'avais donné l'ordre. Oh, Sidney, que t'en es-tu allé faire maintenant ? Pourquoi déserter maintenant, vieil ami ? Tu n'as jamais été trop malin, c'est sûr. Comme tous tes pareils, tu n'as guère fait office que d'outil imbécile du cerveau reptilien de ton possesseur. Mais, tout de même, je ne peux m'empêcher de me demander : pourquoi maintenant, vieux camarade ?

Bientôt, dites-vous, nous allons atteindre un col ou un carrefour. Il y aura de l'ACTION. Il y aura davantage que la personnification d'un très cher pénis vieillissant, davantage que les tangentes extravagantes de Mia à propos de ceci ou cela, davantage que les Présences et les Personne et les Amis Imaginaires, ou les défunts, ou les Pauses ou les hommes *dans les coulisses*, pour l'amour du ciel, et l'une de ces vieilles dames ou l'une des jeunes poétesses ou la douce jeune voisine ou la version à-la-veille-d'avoir-quatre-ans de Harpo Marx ou même le mimi Simon va AGIR. Et je vous promets que tel est le cas. Quelque chose mijote, oh oui, il y a un frichti de sorcières qui mijote. Je le sais parce que je l'ai vécu. Mais avant d'en arriver là, je veux vous dire, Gentil Lecteur, que si vous êtes ici avec moi maintenant, sur cette page, je veux dire : si vous avez atteint ce paragraphe, si vous n'avez pas renoncé, ne m'avez pas envoyée, moi, Mia, valdinguer à l'autre bout de la pièce ou même si vous l'avez fait, mais vous êtes demandé s'il ne se pourrait pas que quelque chose se passe bientôt et m'avez reprise et êtes encore en train de lire, je voudrais tendre les bras vers vous et prendre votre visage à deux mains et vous couvrir de baisers, des baisers sur vos joues et sur votre menton et partout sur votre front et un sur l'arête de votre nez (de forme variable), parce que je suis à vous, tout à vous.

Je voulais juste que vous le sachiez.

Alice ne vint pas au cours. Elles n'étaient que six et, quand je demandai si l'une d'entre elles savait si Alice était malade, Ashley suggéra qu'il pouvait s'agir d'allergies ; elle était allergique à pas mal de substances, et un petit fou rire les gagna, une contagion minime d'humour, qui m'offrit une ouverture : "Les allergies, c'est comique ?" demandai-je.

Les gloussements cessèrent et nous nous plongeâmes donc dans Stevens et Roethke et ce que cela signifie de vraiment regarder quelque chose, n'importe quoi, et comment au bout d'un temps la chose devient de plus en plus étrange, et je fis d'elles toutes des phénoménologues en leur donnant à contempler des crayons et des gommes et mon paquet de kleenex et un téléphone portable et nous écrivîmes à propos de regarder, d'objets et de lumière.

Après le cours, Ashley, Emma, Nikki et la deuxième incarnation de Nikki, Joan, m'informèrent qu'Alice avait été un petit peu "strange" depuis peu et que “pas plus tard qu’hier elle avait fait une scène tout ça parce qu’elle était pas capable d’encaisser une plaisanterie”. Quand je m’enquis de ce qu’était la plaisanterie, Peyton, l’air penaude, détourna le regard. Jessie déclara de sa petite voix haut perchée que je devrais savoir maintenant qu’Alice était “un peu à part”.

Je tentai de m’en sortir, en faisant remarquer qu’Alice était Alice, et que je n’avais pas particulièrement conscience de telles différences troublantes. Nous avions tous nos particularités, et je risquai qu’elle m’avait paru “en forme” lors du cours précédent (sans laisser entendre que je savais pourquoi) et avait écrit un poème amusant, et que j’étais donc étonnée qu’elle ne pût pas encaisser une plaisanterie.

Ashley suçait une menthe ou un caramel dur, et j’observais les mouvements de sa bouche en train de faire tourner le bonbon en rond, l’expression méditative de ses yeux. “Eh bien, elle prend des trucs pour quelque chose qui a à voir avec son humeur, vous savez, parce qu’elle est un peu…” Ashley gesticula comme pour lancer des balles en l’air.

“Je savais pas ça, s’exclama Peyton.

— Tu veux dire qu’elle serait hyperactive ? demanda Nikki.

— Elle a pas dit comment ça s’appelle ; c’est quelque chose…” Les yeux d’Ashley s’embrumèrent.

“La moitié de l’école prend un truc ou l’autre, de la Ritaline ou je sais pas quoi, déclara Peyton. Pas la peine d’en faire un plat.”

Je vis Emma darder sur Peyton un regard réprobateur. Emma manquait de subtilité.

La lumière ne se faisait pas sur le cas d’Alice. Je souris au petit groupe réuni autour de moi et dis, très lentement : “Ce peut être difficile à croire, mais j'ai été jeune un jour, moi aussi, et, qui plus est, je me souviens de quand j'étais jeune. Je me souviens de quand j'avais exactement votre âge, et je me souviens de *plaisanteries*, aussi." Ce fut un moment de cinéma, et j'en avais pleine conscience. Je fis de mon mieux pour arborer mon expression la plus omnisciente, autoritaire, de bon-prof-que-les-élèves-adorent, croisement entre Mr. Chips et Miss Jean Brodie, et puis je refermai d'une claque le Theodore Roethke, me levai et fis ma sortie. Dans le film, la caméra suit mon dos jusqu'à la porte, mes hauts talons – en réalité, des sandales – claqueraient fièrement sur le plancher, et alors je m'arrête, juste pour un instant, et me retourne pour regarder par-dessus mon épaule. La caméra est toute proche à présent. On ne voit plus que mon visage et, sur l'écran, il est gigantesque, haut de quatre mètres, peut-être. Je vous lance un sourire radieux, à vous, le public, me retourne à nouveau, et les portes se referment derrière moi avec un clic sonore dû au talent du bruiteur.

Abigail semblait avoir un problème. Ma mère, assise à côté d'elle sur le canapé, lui caressait le dos. Regina faisait du bruit : des gémissements aigus, *staccato*.

"Elle est tombée, me dit maman, le visage livide. Il y a un instant."

Abigail examinait ses genoux d'un air égaré, et je ressentis un spasme de peur. Je me penchai sur elle, lui pris la main et lui posai toutes les questions habituelles, en commençant par : "Ça va ?" pour passer à de plus précises concernant douleurs et sensations étranges. Elle ne répondait pas mais regardait fixement le sol, et puis elle se mit à secouer lentement la tête.

Regina agita ses mains en l'air et déclara d'une voix étranglée : "Je vais tirer le cordon d'alarme tout de suite. Je vais à la salle de bains tirer un bon coup dessus. Elle ne peut pas parler. Oh mon Dieu. Il faut que j'appelle Nigel. Il saura quoi faire." (Nigel était l'Anglais, et ce qu'il pourrait faire exactement, à Leeds, pour Abigail à Bonden était un secret connu de la seule Regina.)

Abigail tourna la tête vers son amie paniquée et dit d'une voix calme et forte : "Tais-toi, Regina. Que quelqu'un m'aide à ajuster mon soutien-gorge avant qu'il ne m'étrangle."

Regina parut offensée. Elle croisa les mains et se rassit sur le canapé avec, sur son visage encore remarquablement joli, une expression très comme il faut de mécontentement.

Ensemble, ma mère et moi, nous réussîmes à rabaisser le vêtement coupable, qui avait glissé vers le haut dans l'agitation, et nous installâmes notre amie commune sur le canapé.

"Abigail, dit ma mère, quelle peur j'ai eue."

Tomber, c'était la crainte universelle à Rolling Meadows. Certains, comme George, ne s'en relevaient pas. Des hanches se déboîtaient, des chevilles se brisaient, et on n'était plus jamais le ou la même. Vieux os. Qu'Abigail n'eût pas cassé quelque partie de son frêle squelette me paraissait surnaturel. Je découvris plus tard que ma mère, peut-être imprudemment, était intervenue à l'aide de son propre corps, de sorte que la chute s'était transformée en lent effondrement.

A un moment de la conversation qui suivit, je compris qu'Abigail se sentait considérablement mieux car elle commença à m'adresser des signaux en remuant les sourcils, geste à la suite duquel elle baissait les yeux vers ses genoux. Je n'avais aucune idée de ce qu'elle me voulait jusqu'à ce que je remarque qu'elle avait les mains dans les poches de sa robe brodée, et qu'elle exposait de petites parties de leur doublure rouge. Cette femme *portait* un amusement secret. Caché dans ses poches, il y avait un message subversif, une broderie érotique ou quelque autre dessous, créé sans nul doute des années auparavant. Je télégraphiai à mon tour ma compréhension silencieuse que la robe était pour ainsi dire chargée – un tissu caché de plus dans l'arsenal privé d'Abigail –, et cette entente tacite entre nous sembla lui procurer un plaisir authentique car elle sourit d'un air rusé et m'adressa encore quelques signes des sourcils pour confirmer notre complicité. Peg arriva là-dessus et, après avoir entendu l'histoire, la prit selon la veine la plus fidèle à sa nature, en déclarant qu'Abigail était "bienheureuse" et ma mère "héroïque" (qualificatif que ma mère désavoua avec ardeur, mais qui lui faisait manifestement plaisir), après quoi elle passa à Robin Womack, personnalité locale de la télévision, un homme doté d'une abondante chevelure. Elle conclut son panégyrique sur la phrase : "Il peut mettre ses chaussures sur mon lit quand il veut !" Même si je trouvais superflue la référence aux chaussures, cette permission indiquait clairement un penchant pour Womack et sa sérieuse chevelure.

Je ne suis pas certaine de la façon exacte dont nous en vînmes à la poésie, mais les Cygnes se rappelèrent avec affection des vers aimés autrefois. Peg erra, solitaire comme un nuage, et ma mère lut à haute voix "Le lecteur", de Stevens, qui se termine ainsi : "Rien d'imprimé sur les sombres pages / Que la trace d'étoiles embrasées / Dans le ciel glacial." Et Regina rappela l'immortel "arbre" américain de Joyce Kilmer, et je récitai le poème de Ron Padgett intitulé "Haïku" : "Ce fut rapide. / La vie, je veux dire." Ce poème m'avait toujours fait rire de bon cœur, mais pas un seul des Cygnes n'émit le plus bref gloussement, le moindre rire. Ma mère eut un sourire triste. Abigail hocha la tête. Les yeux de Peg se voilèrent, de souvenirs, devinai-je. Après avoir paru au bord des larmes, Regina exprima à haute voix l'espoir que je n'avais pas donné "ce poème" à mes gamines, à quoi je répondis qu'il leur échapperait totalement car à leur âge, en vérité, la vie est longue. Le temps est une question de pourcentages et de conviction à la fois. Si, à la moitié de votre vie, vous aviez six ou sept ans, l'espace de ces années semblerait plus long que celui de cinquante années pour un centenaire, parce que dans l'expérience des jeunes le futur paraît sans fin et qu'ils considèrent normalement les adultes comme appartenant à une autre espèce. Seuls les gens âgés ont accès à la brièveté de la vie.

Regina m'informa alors, en un discours embrouillé et si vague que c'en était frustrant, qu'il était "arrivé" quelque chose à l'une de mes élèves. Elle ne pouvait tout simplement pas se rappeler le nom de l'enfant, "Lucy, peut-être, non, Janet, non, pas ça non plus" mais, quel que fût le nom de l'intéressée, Regina avait entendu raconter par le beau-frère d'Adrian Bortwaffle, qui était un ami intime de Tony Rosterhaus (la relation entre Tony et mes élèves m'était totalement inconnue, ainsi qu'à Regina), qu'il y avait eu une sorte d'accident, et que la fillette avait passé une nuit à l'hôpital.

Il y a des moments où la fragilité de tout ce qui vit est si apparente que l'on se met à attendre un choc, une chute ou une rupture à n'importe quel moment. J'étais dans cet état depuis que Boris m'avait quittée et que mes nerfs avaient explosé – non, avant cela, depuis le suicide de Stefan. Il n'est pas de futur sans passé, parce qu'on ne peut imaginer ce qui doit être que comme une forme de répétition. J'avais commencé à m'attendre à des calamités.

Après avoir raccompagné Abigail chez elle, nous l'aidâmes, ma mère et moi, à s'installer confortablement sur son canapé. Elle nous ordonna à plusieurs reprises de "cesser de nous agiter" mais je lisais sur son visage le soulagement de n'être pas seule, pas encore seule. Elle promit de voir son médecin et nous embrassa toutes les deux avant que nous la laissions.

Plus tard, ce soir-là, je vis les ecchymoses multicolores que ma mère avait récoltées sur son côté en venant en aide à son amie dans sa chute. Le déambulateur y avait joué je ne sais quel rôle, et ma mère devait l'avoir heurté avec violence. "Tu ne dois pas en parler à Abigail", me recommanda ma mère. Elle répéta cela plusieurs fois. Je promis plusieurs fois. Nous étions assises ensemble dans le salon et j'étais consciente du silence du bâtiment, presque total à l'exception du son d'une lointaine télévision.

"Mia, me dit-elle, peu de temps avant que je la quitte. Je veux que tu saches que je recommencerais tout."

Ma mère se comportait parfois comme si j'avais accès à ses pensées. "Quoi, maman ?"

Elle parut étonnée. "Epouser ton père.

— Malgré vos différences, tu veux dire ?

— Oui, ç'aurait été bien s'il avait été un peu différent, mais ce n'était pas le cas, et il y a eu tant de jours heureux à côté des mauvais et, parfois, ce que j'aurais aimé changer en lui un jour était précisément ce qui rendait quelque chose possible un autre jour – heureux, celui-là, pas mauvais –, si tu vois ce que je veux dire.

— Comme ?

— Son sens du devoir, de l'honneur, sa rectitude. Ce qui me donnait envie de hurler un jour pouvait me rendre fière le lendemain.

— Oui, dis-je, je comprends.

— Je veux que tu saches combien c'était bon de t'avoir à proximité, combien j'ai été heureuse. Je me suis bien amusée. On se sent un peu seul ici, parfois, et tu as été mon bonheur, mon réconfort, mon amie."

Ce petit discours un peu solennel me fit plaisir, mais je reconnaissais dans le soupçon de cérémonie l'éternel pincement du temps. Ma mère était âgée. Demain, elle pouvait tomber ou faire une crise soudaine. Demain elle pouvait être morte. Quand nous nous séparâmes sur son seuil, ma petite mère était vêtue d'un pyjama de coton fleuri. Le pantalon bouffait autour de ses cuisses menues et s'arrêtait juste au-dessus de la saillie de ses malléoles décharnées. Elle serrait dans ses bras une bouillotte d'un brun rougeâtre.

Daisy m'écrivit :

> Chère maman,
>
> J'ai vu papa à midi et ça n'avait pas l'air d'aller fort. Il avait plein de taches sur sa chemise, puait comme un cendrier et ne s'était pas rasé. Je veux dire, je sais bien qu'il attend parfois deux jours, mais on aurait dit qu'il ne s'était pas rasé depuis une semaine et, pire encore, j'ai pensé qu'il avait peut-être pleuré avant de me voir. Je lui ai dit qu'il avait triste mine, un vrai clochard, mais il s'est contenté de répéter qu'il allait bien. Je vais bien. Je vais bien. M. Déni. Une idée ? J'essaie de le pousser à me parler, mais est-ce que je devrais continuer ? envoyer un détective ? Ce ne sera plus long maintenant, mamasita, avant que je te voie !
>
> Grosses bises de ta Daisy-sidérée-et-encore-déçue-par-papa.

Je répondis :

> Ton père n'a pas pu pleurer. Il ne pleure qu'au cinéma. Mais garde un œil sur lui.
>
> Bisous, maman.

Cela faisait peut-être une semaine que je connaissais Boris quand il m'a emmenée voir *Le Lys de Brooklyn*, d'Elia Kazan, au Thalia, près du carrefour de la 95e Rue et de Broadway. Il y a un moment dans le film où la jeune héroïne, interprétée par Peggy Ann Garner, entre dans un salon de coiffure pour récupérer le bol à raser de son père défunt. C'est une scène touchante. La jeune fille adorait son ivrogne sentimental de père, avec ses faux espoirs et ses rêves irréalisables, et l'avoir perdu est pour elle un coup terrible. Je ne crois pas que Boris reniflait, bien qu'il eût pu le faire, mais pour une raison quelconque je me suis tournée pour le regarder. L'homme assis près de moi ruisselait de deux torrents de larmes qui s'écoulaient massivement de son menton sur sa chemise. J'étais si ahurie d'un tel étalage d'émotion que, poliment, je l'ignorai. Par la suite, j'en vins à comprendre que Boris réagissait beaucoup plus directement à l'indirect ; c'est-à-dire que ses émotions réelles ne faisaient surface que grâce à la médiation de l'irréel. A de multiples reprises, j'étais restée les yeux secs à côté de lui pendant qu'il reniflait et pleurait pour des acteurs sur un grand écran plat. Je ne l'avais jamais, jamais vu pleurer dans le monde dit réel, ni pour Stefan, ni pour sa mère, ni pour moi ni pour Daisy ni pour des amis décédés ni pour aucun être humain qui ne fut de celluloïd. Cela dit, je me sentis secouée à l'idée étrangement effrayante que Boris avait changé, que, s'il n'avait pas rencontré Daisy immédiatement après un film (ce qui semblait peu probable, vu qu'il travaillait tout le temps et n'avait plus guère regardé de films qu'en DVD depuis quelques années), la Pause pourrait avoir modifié les structures profondes du caractère de Boris. Pleurait-il à cause d'elle, la Française à la recherche de nouveaux neuropeptides ? Le mur avait-il cédé pour elle ?

Personne était déchaîné. Personne ne comprenait Personne – tel était le cœur du problème. A nous deux, nous avions achoppé sur la "grande question" : la conscience. Qu'est-ce que c'est ? Pourquoi la possédons-nous ? Mon correspondant éminemment conscient fulminait contre les stupidités monumentales du scientisme et l'atomisation de processus qui étaient clairement inséparables, "un flot, une inondation, une vague, un courant, et non une série de cailloux rigides discrètement alignés en rang ! N'importe quel imbécile devait être capable de deviner cette vérité. Lis ton William James, ce prodigieux Mélancolique !" En Thomas Bernhard de la philosophie, Personne se laissait aller à des rages spleenétiques qui avaient sur moi un effet mystérieusement apaisant. J'aimais le prodigieux mélancolique, moi aussi, mais je guidai Personne vers le flux et reflux de Plutarque, ce Grec plein d'esprit qui invectivait les stoïques dans son *Sur les notions communes* :

> 1. Toutes les substances particulières sont en flux et en mouvement, elles laissent échapper des éléments d'elles-mêmes et en reçoivent d'autres venus d'ailleurs.
>
> 2. Pour le nombre et la multitude de ce qui s'en va du dedans ou qui vient du dehors, les choses ne demeurent pas unes et mêmes mais deviennent autres, et leur substance en est altérée.
>
> 3. L'usage devenu courant d'appeler ces transformations augmentations et diminutions est erroné. Il conviendrait plutôt de les appeler générations et corruptions *(phthorai)* parce qu'elles font par force passer une chose d'un être à un autre, tandis qu'augmentation et diminution sont passions et accidents qui adviennent à un corps et sujet permanent.

C'est une vieille histoire. Quand une chose en devient-elle une autre ? Comment le savoir ? Il s'en prenait à Boris, aussi, un naïf, un homme dont les conceptions d'un moi élémentaire ou primitif étaient absurdes, déplacées. "On ne peut pas localiser le moi dans un réseau neural !" Je défendais non sans vigueur ce membre aliéné de ma famille en soutenant que "moi" était, certes, un terme élastique, mais que Boris avait une idée tout à fait précise de ce qu'il voulait dire – qu'il parlait d'un système biologique sous-jacent indispensable à un moi. Selon mon comparse invisible, non seulement Boris mais tout le monde se trompait de questions à poser, à l'exception de Personne en personne, porte-parole isolé d'une vision synthétique qui unirait tous les domaines, mettrait fin à la culture de l'expertise et renverrait la pensée "à la danse et au jeu".

Utopien nihiliste, voilà ce qu'il était, un utopien nihiliste en phase démente. Je continuais à penser qu'il avait besoin d'un bon massage prolongé de la caboche. Et pourtant, ne manquais-je pas de me dire, quand j'étais folle, étais-je ou n'étais-je pas moi-même ? Quand une personne en devient-elle une autre ?

> Te rappelles-tu (écrivis-je à Boris) ce soir, il y a deux ans, où nous nous sommes rendu compte que nous venions de penser exactement la même chose, pas du tout évidente, une idée plutôt excentrique qui avait surgi en nous sous l'effet de quelque catalyseur commun, et tu m'as dit : "Tu sais, si nous vivions ensemble pendant encore cent ans, nous deviendrions la même personne" ? *Ton amie**, Mia.

Comme Alice ne réapparaissait pas au cours, je demandai des informations. Les gamines firent celles qui ne savaient pas ou, du moins, c'est ce que je supposai. Ignorant si la rumeur à propos de l'hôpital était fondée et trouvant bête de la répandre, je m'adressai à la source. J'appelai chez Alice, sa mère répondit, et elle me raconta qu'Alice avait été prise de violents maux d'estomac et emmenée d'urgence à l'hôpital, mais que les médecins n'avaient rien trouvé et, après une nuit d'examens, l'avaient renvoyée chez elle. Quand je lui demandai comment sa fille se sentait, elle me répondit qu'elle paraissait débarrassée de la douleur mais était maintenant apathique et déprimée, et refusait de retourner au cours. Avec toute la délicatesse dont je disposais, je dis que j'avais entendu les filles parler d'une "blague" et que cela m'avait tracassée. Je souhaitais parler à Alice. La mère réagit avec obligeance, avec empressement même, et j'entendis dans sa voix ce ton particulier d'inquiétude maternelle fondée non sur un indice mais sur une impression.

Alice ne se leva pas pour moi. On m'introduisit dans sa chambre bleu pâle, anormalement bien rangée, où, allongée sur son couvre-lit bleu pâle garni de cumulus blancs, elle contemplait le plafond, les bras croisés sur la poitrine comme un corps préparé à la mise en bière. J'approchai une chaise du lit, m'assis dessus et écoutai la mère fermer discrètement la porte derrière elle. Le visage de sa fille ressemblait à un masque. Pendant que je lui parlais, elle ne remua pas un muscle. Je lui racontai qu'elle nous avait manqué en classe, que ce n'était pas pareil sans elle, que j'étais désolée qu'elle ait été malade mais espérais qu'elle reviendrait bientôt, dès qu'elle serait tout à fait guérie.

Sans tourner la tête pour me regarder, elle déclara au plafond : "Je ne peux pas y retourner."

Ne pas dire est aussi intéressant que dire, d'après mon expérience. Que la parole, ce bref voyage verbal du dedans au dehors, puisse être aussi atrocement pénible dans certaines circonstances, cela me fascine. J'insistai, gentiment, mais j'insistai. Tout ce que fit Alice fut d'agiter la tête d'avant en arrière. J'évoquai la "blague", alors, et son visage se crispa en une expression de douleur. Ses lèvres disparurent, aspirées, je vis une larme jaillir de chaque conduit et, parce qu'elle était couchée, ni l'une ni l'autre ne tomba. Elles s'enfoncèrent dans la peau de ses joues.

Nous allons laisser Alice étendue là sur son couvre-lit nuageux avec ses joues luisantes. Nous allons nous accorder un répit car, bien que je sois restée assise ici en personne, il y a au moins une demi-heure que je me suis quittée. J'ai fait une échappée mentale. Il n'est pas facile de parler à une fille de treize ans qui n'a pas envie de vous parler ou qui, si elle en a envie, a néanmoins besoin d'être dorlotée, cajolée, amadouée avant de pouvoir proférer les quelques précieuses déclarations qui résoudront le mystère du crime. Franchement, c'est un peu ennuyeux, et nous nous épargnerons donc la tâche longue et torturée consistant à tirer des mots de l'enfant, pour revenir à elle une fois qu'elle les aura prononcés.

Pourquoi ai-je pensé à cette explosion érotique ? Je ne saurais le dire. Les nuages, le lit, la lumière entrant par la fenêtre de la jeune fille cet après-midi-là, une brume épaisse de luminosité estivale – tout ou n'importe quoi peut en avoir été la cause. Boris m'avait accompagnée à un festival de poésie où j'avais lu devant une foule de vingt personnes (pas mal du tout, pensais-je) et nous nous étions baladés dans l'atmosphère brouillardeuse de San Francisco. Un confrère en poésie avait recommandé un masseur, un homme d'une qualité rare qui, de ses mains, modifiait les corps humains. C'était là une idée attrayante pour quelqu'un dont la tête encombrée et suractive perdait parfois de vue son corps, si loin là-dessous. Cet homme s'appelait Bedgood. Archibald Bedgood. Je ne mens pas. C'est peut-être son nom qui avait déclenché toute l'entreprise. Rien n'est certain. En tout cas, pendant que Boris attendait dans les coulisses (une pièce paisible, avec de la musique New Age destinée à transformer en somnambules tous les êtres humains), je m'allongeai nue, sauf une serviette me couvrant les fesses, sur le lit de massage de Bedgood, non sans une certaine anxiété, à vrai dire, et l'homme se mit à frotter. Il était méthodique, bienséant – comme par magie, la serviette ne manqua jamais à son rôle de modeste protecteur. Il prit chaque partie de mon corps individuellement, les quatre membres, pieds et mains, le dos et la tête, et jusqu'à mon visage, à la fin. Je n'éprouvais pas la moindre sensation sexuelle, ni sursauts ni fantasmes érotiques. Je ne pensais à rien dont j'aie conservé le souvenir mais, au bout d'une heure et demie, Bedgood m'avait réduite en gelée. Mia avait disparu, disparu au combat, pour ainsi dire. La personne qui émergea de la salle de massage et trouva Boris en train de ronfler sur un canapé rose avait été transformée, exactement comme la publicité l'annonçait. Elle était métamorphosée en un être flasque, décervelé, mais complètement euphorique. Après avoir fait lever Izcovitch de son divan, cette personne refaite (qui méritait d'être renommée : Fifi ou Didi ou Bébé ou Poupée) s'en fut nonchalamment bras dessus, bras dessous avec l'Epoux à l'hôtel Poésie, et ce fut là que, sur un lit un peu mou, je fus (ou elle fut) fendue de part en part, brisée en morceaux embrasés et transportée au paradis quatre fois de suite.

L'expérience mérite un commentaire, dont pas un mot ne vient confirmer le moins du monde la conception traditionnelle du Romantique. En suite des soins de Bedgood, n'importe qui – non, j'amende cela –, n'importe quoi, individu, oiseau, bête, voire objet inanimé (du moment qu'il n'était pas froid), aurait pu m'envoyer voler dans les régions les plus élevées de l'expérience érotique. La leçon, ici, c'est qu'un état d'extrême relaxation favorise le plaisir, et l'extrême relaxation est un état d'ouverture quasi complète à tout ce qui se présente. C'est aussi une forme d'inconscience. J'en vins à me demander s'il existe des gens qui vivent leur vie dans la détente et la facilité, une vie assez insignifiante la plupart du temps, s'il existe là-bas des Poupées vivant dans une sorte de transport sensuel permanent. J'ai lu un jour qu'une femme avait régulièrement des orgasmes en se brossant les dents, récit qui m'avait étonnée mais qui, après Bedgood, me devint compréhensible. Une brosse à dents aurait pu faire l'affaire.

Il y a deux ans, pas plus, dans un groupe de discussion du sexe et du cerveau, j'ai été CHOQUÉE quand un des collègues de Boris m'a assurée que dans le règne animal – ou, plutôt, dans la partie femelle du règne animal, c'est-à-dire dans la totalité du *queendom* animal – seules les femmes humaines connaissent l'orgasme. Comme j'exprimais mon étonnement, Boris et cinq autres chercheurs mâles autour de la table ont donné raison au Dr Brooder. Nous autres bipèdes, nous le pouvions, mais aucune autre femelle. Chez les mâles, bien entendu, la prouesse existe jusqu'au plus bas de l'échelle mammalienne. L'excitation sexuelle mâle possède des racines biologiques profondes ; chez les femmes, ce n'est qu'un coup de chance, un accident. D'un point de vue purement physiologique, cela me paraissait absurde. Mes sœurs primates, qui partagent une si grande partie de mon équipement, en haut et en bas, ne prendraient aucun plaisir à l'acte ! Qu'est-ce que cela signifiait ? Chez nos cousins quadrupèdes, seuls les mâles connaîtraient la joie ? Tandis que je défendais ma conviction, Boris me fusillait du regard à l'autre bout de la table (j'avais été admise à titre exceptionnel). Deux livres et plusieurs articles plus tard, je découvris que les six fats se trompaient du tout au tout, ce qui signifiait, bien sûr, que j'avais tout à fait raison. En 1971, Frances Burton observa un orgasme chez quatre sur cinq des singes rhésus femelles de son laboratoire. Les femelles des macaques sans queue ont de fréquents orgasmes mais, le plus souvent, avec d'autres femelles et non avec les mâles et, lorsqu'elles jouissent, les dames singes crient juste comme nous. Allan F. Dixon, auteur de *Sexualité des primates : études comparatives des prosimiens, des simiens, des anthropoïdes et des humains*, écrit qu'elles expriment leur ravissement en des sons qui font penser à Mrs. Claus[1] : "Ho ! Ho ! Ho !" Je proférai ces trois éjaculations verbales quand je confrontai mon bonhomme à l'évidence. "Ho ! Ho ! Ho !" fis-je, en abattant devant moi deux volumes et six articles, tous marqués de post-it.

Pourquoi, demanderez-vous, la théorie de l'absence de plaisir pour les singesses a-t-elle acquis une telle notoriété que les six gars autour de la table l'avaient tous avalée comme si elle allait de soi, encore que les primates en question possédassent des clitoris, ainsi que TOUTES les femelles mammifères ? Onan, si vous vous souvenez de la page 85, fut châtié pour avoir gaspillé sa semence. Il n'était pas censé la répandre sur le sol mais la mettre quelque part – à l'intérieur d'une femme. Tel est le principe selon lequel "qui ne gaspille point s'enrichit (d'enfants)". Mais à la différence d'Onan, qui ne peut inséminer personne sans orgasme, l'hypothétique femme d'Onan (celle à l'intérieur de laquelle il aurait dû se trouver) peut concevoir sans le grand O, vérité reconnue par Aristote mais oubliée pendant des siècles. En 1559, Colomb découvrit le clitoris *(dulcedo amoris)* – Realdo Colombo, s'entend. Il y fit voile au cours de l'un de ses voyages anatomiques, même si Gabriel Fallope lui disputa ce point, affirmant qu'il avait été le premier à voir le petit tertre. Permettez-moi de tracer une analogie

1. L'épouse de Santa Claus (version américaine du père Noël), qui crie joyeusement "Ho ! Ho ! Ho !" en descendant dans la cheminée.

entre les deux Colomb explorateurs, Christophe et Realdo. Distantes de moins d'un siècle, leurs découvertes, l'une d'un corps continental, la seconde d'une partie du corps, pèchent l'une et l'autre par un orgueil familier, celui de la perspective hiérarchique. Dans le cas du Nouveau Monde, celui qui observe du haut de sa hauteur est un Européen. Dans le cas du clitoris, c'est un homme. Les peuples qui vivaient depuis des milliers d'années sur le sol du "Nouveau Monde", et j'irais jusqu'à dire la plupart des femmes, auraient été stupéfaits de ces "découvertes". Cela dit, le clitoris demeure une énigme darwinienne. S'il n'est pas nécessaire à la conception, POURQUOI se trouve-t-il là ? Est-il adaptif ou non adaptif ? La théorie du petit pénis rabougri (non adaptif) a une longue histoire. Gould et Lewontin soutiennent que le clitoris, de même que les tétons chez l'homme, est un vestige anatomique. D'autres disent que non, le haricot du plaisir a une utilité évolutionnaire. Les batailles sont sanglantes. Mais, je vous le demande, qu'importent l'adaptation ou la taille si ce bienheureux petit membre fait l'affaire ? Avant de revenir à notre histoire, je vous laisse les mots immortels de Jane Sharp, une Anglaise du XVIIe siècle, sage-femme de son état, qui a écrit du clitoris : "Il se dresse et retombe comme le ferait un *yard*, emplit les femmes de désir et leur rend la copulation délicieuse." (Les femmes et aussi, je le prétends, leurs sœurs simiennes et, dans l'attente de nouvelles découvertes, d'autres mammifères encore, sans doute. Autre commentaire annexe : l'usage, au XVIIe siècle, de la mesure *yard* pour désigner le pénis ne vous frappe-t-il pas comme une légère exagération, sauf si le *yard* n'était pas à l'époque le *yard* de maintenant ?)

Quand Colomb aperçut le mont Béatitude,
Il s'arrêta, empli d'incertitude.
Qu'est ceci ? Un bouton ? Un haricot ?
Une anomalie ?
Non, pauvre sot, un clitoris !

La confession d'Alice n'était pas cohérente, mais il fut possible de reconstituer un récit lorsqu'elle eut terminé. Elle me parla, à moi, ainsi qu'à sa mère, Ellen, admise peu après le début du déballage. Mes regards allaient et venaient de l'enfant à sa mère pendant que la première passait de chuchotements à peine audibles à des aveux étouffés et puis à des sanglots rauques, étranglés. Je remarquai que le visage de la mère fonctionnait comme un vague miroir de celui de sa fille. Quand Alice parlait doucement, Ellen se penchait en avant, le regard intense, les lèvres réagissant à chaque insulte par de minuscules mouvements. Quand Alice pleurait, les yeux d'Ellen s'étrécissaient, une ride apparaissait entre ses sourcils et sa bouche se raidissait en une mince ligne droite, mais elle ne pleurait pas. L'écoute maternelle est d'une espèce particulière. La mère doit écouter, et elle doit ressentir de l'empathie, mais elle ne peut pas s'identifier pleinement avec l'enfant. Pour cela, un certain recul est de rigueur, une distance qu'on ne peut acquérir qu'en se blindant contre l'histoire racontée. Savoir qu'*on a fait du mal à mon enfant* peut aisément susciter une réaction brutale, de l'ordre du *je vais déchirer ces petites pestes en mille morceaux et me les farcir au dessert.* En observant Ellen, je sentais qu'elle résistait à un désir de vengeance macabre, et je me rendis compte que je l'aimais bien – à la fois pour sa fureur et pour son refus d'y céder.

Il y avait un bon bout de temps qu'Alice recevait des messages malveillants. "Tepu" et "bitch" avaient figuré régulièrement dans ses SMS, de même que des commentaires d'une grande originalité : "Tu te crois si maligne", "Retourne à Chicago si c'est si bien là-bas", "Espèce de salope", "Anorexique de merde" et "Frimeuse". Tous anonymes. Quant à ma coterie de poétesses en herbe, Alice reconnut qu'elles avaient été alternativement "sympas" et "pas sympas" avec elle, ouvertes un jour et froides le lendemain. Elles l'accueillaient et puis la rejetaient. Quand, après des semaines de détresse, elle les confronta à la simple question : "Qu'est-ce que j'ai fait ?" elles ricanèrent, firent les yeux ronds et se mirent à chantonner sans trêve : "Qu'est-ce que j'ai fait ?" Je me sentais particulièrement triste d'imaginer Peyton au nombre des tourmenteuses. Et puis des photos d'une Alice nue debout devant son miroir, chez elle, avaient été mises sur Facebook – des images floues, prises avec le téléphone portable de l'espionne à travers une fente des volets. La pauvre gosse reniflait fort en avouant cette humiliation. Elle avait supprimé les images, bien sûr, mais le mal était fait. Le souvenir de mon corps de treize ans en pleine transformation et du sentiment douloureusement intime et protecteur que m'avaient inspiré mes seins naissants, mes trois poils pubiens et les mystérieuses lignes rouges apparues sur mes hanches (dont je ne découvris que deux ans plus tard qu'il s'agissait de vergetures) me mit mal à l'aise au point de me tortiller sur ma chaise. L'histoire du mouchoir en papier taché de sang était confuse, mais nous finîmes par comprendre, Ellen et moi, qu'Alice avait eu ses règles juste avant mon cours sans être équipée, et qu'elle avait été trop timide pour demander un tampon à l'une de ses "amies". Elle avait fourré dans sa culotte quelques-uns des kleenex qu'elle avait dans son sac (toujours sous la main à cause de ses allergies) mais, lorsqu'elle était entrée dans la salle, un mouchoir légèrement taché avait glissé de son short et était tombé par terre, pour être instantanément ramassé par Ashley qui, prétendant avoir compris tout de suite ce qu'elle avait touché, l'avait jeté sur la table en répétant d'une voix suraiguë le mot *dégueulasse*. La machination la plus récente, celle qui devait avoir provoqué les crampes d'estomac, concernait le message du garçon désiré, Zack, lui fixant rendez-vous dans le parc, près des balançoires, à trois heures. C'était là, sûrement, qu'Alice se rendait lorsque je l'avais vue partir d'un pas dansant après qu'elle avait quitté la classe à trois heures moins le quart. A son arrivée, pourtant, il n'y avait pas de Zack. Elle avait attendu une demi-heure et puis, se rendant compte que quelque chose n'allait pas, elle s'était assise dans l'herbe, s'était enfoui le visage dans ses mains et avait pleuré. Quand les larmes arrivèrent, les sarcasmes et les rires en firent autant, derrière une grande palissade en bordure du parc. Les rieuses invisibles se gaussaient d'Alice qui avait pu imaginer qu'un garçon comme Zack puisse lui adresser ne fût-ce qu'un regard. Telle était, semblait-il, la dernière en date des "plaisanteries", celle qu'Alice n'avait pas été capable d'"encaisser".

Quels que soient ses détails, l'histoire d'Alice est d'une familiarité déprimante. Sa structure fondamentale se répète, avec de multiples variations, partout et tout le temps. Bien que parfois non déguisées, les cruautés consistent le plus souvent en piques cachées, subreptices, destinées à humilier la victime et à lui faire mal, stratégie adoptée le plus souvent par des filles, pas par des garçons, lesquels vont au coup de poing, à la bagarre ou au coup de pied dans les tibias. Le duel à l'aube, avec son légalisme élaboré, ses seconds et ses pas comptés ; sa réincarnation mythique dans l'Ouest quand chapeau noir et chapeau blanc s'affrontent avec leurs six-coups ; la bonne vieille castagne "allons faire ça dehors" entre deux combattants mâles, chacun encouragé à grands cris par une faction de supporters ; et jusqu'à la bagarre de cour d'école (le gamin rentré chez lui en sang se retrouve face à son père, qui demande : "Fils, as-tu gagné ?") – tous possèdent dans la culture une dignité à laquelle nulle forme de rivalité féminine ne peut prétendre. Un combat physique entre filles ou femmes est une bataille de chattes, caractérisée par des griffures, des morsures, des gifles, des jupes qui volent et un parfum de ridicule ou, au contraire, un spectacle érotique pour le plaisir des mâles, vision délectable de deux femmes qui "y vont". Il n'y a rien de noble à émerger victorieuse d'une telle chamaillerie. Une bonne bataille de chattes correcte, cela n'existe pas. Assise là, devant Alice, dont j'observais la mine triste et empourprée, je me la figurai envoyant à Ashley un direct au menton et me demandai si la solution masculine n'était pas plus efficace. Si les filles se tapaient sur la tête les unes des autres au lieu de comploter de sales petits jeux de sabotage, souffriraient-elles moins ? Mais cela, pensai-je, ne pourrait se passer que dans un autre monde. Et même dans ce monde improbable où une fille pourrait s'épousseter après s'être relevée victorieuse d'une séance de lutte contre sa Némésis, à quoi cela servirait-il ?

Quand fut venu le moment de prendre congé d'elles, Ellen avait persuadé sa grande fille de venir sur ses genoux. Mère et fille étaient enfoncées dans le Sacco où, quelques minutes plus tôt, Ellen, assise seule, écoutait la saga d'intrigues et de tromperies que révélait Alice. Celle-ci avait blotti sa tête dans le cou de sa mère, et ses longues jambes nues pendaient sur le côté du siège. La main d'Ellen montait et descendait lentement, en rythme, le long du dos de sa fille. Derrière elles, je remarquai quelques-unes des poupées de l'enfant rangées sur une étagère. L'impassible visage de porcelaine de l'une d'elles contemplait fixement le mur derrière moi. Une autre avait sur ses lèvres roses un très léger sourire. Une poupée femme en kimono se tenait toute raide, au garde-à-vous. Un poupon antique gisait sur le dos, les bras tendus en l'air. Le chœur, me dis-je, et elles se mirent à bouger et à remuer les lèvres à l'unisson. Je vis leurs dents. La vieille magie les fit toutes frémir un instant, *animus, élan vital**. Sur le trottoir, comme je rentrais "chez moi", une pensée me vint de je ne sais où :

Mais je ne peux demeurer en cet effroi,
Ni, voyant ce que je vois, retenir mes larmes.

Avec le mouvement de mes pieds, l'un devant l'autre, mon allure fit apparaître la source. C'était le chœur des poupées qui avait fait surgir cela. *Antigone.* Je souris. Une tragédie contre une parodie mais, tout de même, me disais-je, il y a de la peine. Et qui mesurera la souffrance ? Qui parmi vous calculera la magnitude de la douleur que l'on peut à tout moment trouver au-dedans d'un être humain ?

Multiplie-toi par les mots, Alice –
Ton armée aérienne crache des sagaies,
Craque des syllabes, brise le verre,
Vomit la fureur vers le ciel.
Les cent tricheuses
En fuite sur la page, c'est toi,
Un essaim de sourires dessinés

Tandis que sont piétinées des têtes ovales,
Ou bien appelle Alice la Gorgone dans le miroir.
La jumelle monstrueuse, l'autre histoire,
Dont la bouche souffle des vents qui tuent,
Pensées interdites, expressions effrontées,
Celées pendant les années de sainteté silencieuse.
De bonne conduite. Avec un E comme excellence.
Pleure, Alice, si tu le veux, hurle !
Fais pleuvoir un déluge
De J comme javelots jaillis de tes yeux.
Tes nombreux je. Tes multitudes.
Sois ferment, Alice, grabuge, diatribe, pétrin,
Et si tu fais un vœu, fais trois vœux.
Fais-les disparaître. Annule-les.
Noircis leurs corps à l'encre noire.
Gorge-les de douceurs sublimées
Jusqu'à ce qu'elles vacillent et tombent
Sous la danse de tes pieds.

Je n'étais pas du tout sûre d'aimer ce poème, mais ça m'avait fait un bien fou de l'écrire. "Pourquoi sont-elles si méchantes avec moi ?" Alice avait répété cela plusieurs fois d'une voix douce et sidérée. N'était-ce pas là le refrain perplexe des "un peu à part" ? Jessie avait dit que, depuis le temps, j'aurais dû savoir qu'Alice était "un peu à part". En quoi était-elle différente des autres ? La perception est chargée de différences visibles, lumière et ombres, la masse des objets, les corps en mouvement, mais il y a aussi, toujours, des différences et des ressemblances invisibles, des idées qui tracent des limites, qui séparent, isolent, identifient. J'étais, je suis un peu à part. Pas l'une d'entre elles. Pas dans le coup, jamais dans le coup. Je sens sur moi le souffle des vents froids. Je devrais décider que faire d'elles : la bande, les filles. Je ne pouvais pas laisser passer tout cela. Mais il me faudrait refuser de les haïr, mes six petites bonnes femmes pas encore formées, avec leurs plaisirs sadiques, l'envie qui suait de leurs pores et leur choquante absence d'empathie. Ashley, princesse du châtiment. Cela ne m'était-il pas apparu quand elle regardait Flora ? Ashley, mon élève modèle. Ce qu'elle voulait, c'était du pouvoir. Nul doute qu'elle en manquait chez elle, enfant du milieu de cette grande famille où l'on devait se disputer l'attention de maman et papa. Regardez-moi ! Assurément, elle aussi méritait de la sympathie. Je pensai à sa mère ; c'est pire d'être la mère d'une rosse que d'une victime, pire d'avoir un enfant cruel qu'un enfant dont la vulnérabilité permet les rosseries. Il fallait que je mette au point une stratégie, sinon pour sauver la situation, du moins pour l'amener à l'air libre. J'aime cette expression, l'air libre. Devant moi, je vois l'étendue des champs autour de Bonden, vastes et plats, avec le ciel immense au-dessus d'eux.

Je pleurai dans les bras de Bea le soir de son arrivée. On penserait qu'avoir tant braillé et chialé pendant environ six mois m'aurait drainé les conduits et laissé les yeux à jamais endommagés par l'inondation, mais il semble qu'il existe des réserves inépuisables de la sécrétion salée et qu'elle puisse sans effets durables jaillir avec abondance à intervalles réguliers. Ce vieux temple de chair, en vérité, est une merveille. C'était si bon, Bea qui me caressait le dos, qui m'incitait au calme, qui me berçait doucement. Mia et Bea. Une fois que nous eûmes fait un sort à ma larmoyante mélopée, nous nous installâmes dans le lit des Burda et elle me mit au courant des faits et gestes de Jack et des garçons. (Jack, ce cher Jack, toujours le même, qui la rendait folle avec ses week-ends de sculpture, dont elle qualifiait les résultats d'*érections* parce que c'étaient, chaque fois, d'énormes saillies inspirées par les phallus de Gaudí sur le toit de la Pedrera, mais dont elle n'avait *pas* envie partout sur la pelouse. Elle n'avait pas envie d'un panorama de gourdins dans le jardin, bon sang. Les succès de Jonah à l'université, et Ben un peu perdu en classe mais s'épanouissant dans le théâtre musical, et pas de petite amie, jamais, *peut-être qu'il est gay*, Bea n'y voyait pas d'objection, elle savait seulement qu'elle ne pouvait pas être la première à le dire, quel genre de mère ferait cela, qu'il le soit ou ne le soit pas, et puis il n'avait jamais paru particulièrement efféminé, ni rien de ce genre et, donc, ils ne pouvaient que le laisser découvrir ça lui-même, et enfin son métier de juriste, qu'elle aimait de la même façon que Harold l'avait aimé, Notre Père avant elle, ses subtilités, ses vides juridiques, sa jurisprudence, et même son train-train.)

Et puis, couchées l'une à côté de l'autre avec nos deux têtes, une brune, une rousse, calées sur des oreillers, nous contemplâmes le plafond blanc en nous rappelant notre jeu de Baby Huey. J'étais généralement Huey, le bébé canard géant en couche-culotte qui bavait, vomissait, crottait et émettait des gargouillis gutturaux, provoquant les hurlements de joie de Bea. En nous rappelant Mme Clinch-clonch, la sorcière que nous avions inventée, qui détestait les enfants, et le plaisir que nous prenions à décrire ses monstrueux agissements. Elle jetait les enfants par la fenêtre, les plongeait dans des puits, les poivrait énergiquement et les inondait de crème au chocolat. En nous rappelant les Mellolard, cette équipe de vocalistes que nous étions devenues, qui apparaissait lorsque, assises à notre petite table rouge sur nos petites chaises rouges, nous chantions des slogans publicitaires, pas des vrais, mais des slogans que nous inventions pour un dentifrice qui jaillissait du tube, une lessive qui verdissait les vêtements et des bonbons qui fondaient dans la main, pas dans la bouche. En nous rappelant nos robes bleues avec leurs jolis tabliers et nos chaussures en cuir luisantes de vaseline et nous, assises genoux serrés et les mains jointes devant nous et très, très sages. En nous rappelant le calendrier brodé de maman et les minuscules cadeaux emballés que nous découvrions dessus chaque jour de décembre et notre impatience à l'arrivée de Noël, qui nous donnait des crampes d'estomac ; et en nous rappelant les bains. Nous tenions un gant de toilette devant nos yeux pour les protéger du savon et nous penchions en arrière, et maman versait l'eau chaude sur nos têtes à l'aide d'une cruche, et elle chauffait des serviettes dans le séchoir et nous emballait dans l'éponge tiédie, et alors papa nous soulevait, l'une après l'autre, très haut dans ses bras et puis nous déposait doucement dans des fauteuils devant le feu pour nous tenir au chaud. *Les bains, c'était le paradis*, fit Bea. *C'est vrai*, dis-je, et alors elle me raconta qu'elle faisait semblant de dormir dans la voiture quand nous rentrions tard de chez nos grands-parents pour que papa la porte dans la maison, et je lui dis que je savais qu'elle simulait et que j'avais été jalouse parce que j'étais trop grande, et que je m'étais parfois demandé s'il ne l'aimait pas plus que moi. J'étais une pleurnicheuse, elle pas. *Tu es encore une pleurnicheuse*, me dit-elle. *Bien vrai*, répondis-je. *Peut-être*, dit ma sœur, *que j'aurais dû pleurer davantage. Il fallait toujours que je sois si dure.* Nous nous tûmes alors.

Je regrette d'avoir été une telle mauviette, Bea.

Si on dormait, dit-elle, et je dis *Oui*, et c'est ce que nous fîmes, et je ne pris pas de cachet, et je dormis fort bien.

Comment raconter ça ? demande votre triste narratrice fêlée et pleurnicharde. Comment le raconter ? Ça devient un peu encombré, à partir d'ici – il y a simultanéité : une chose se passe à Rolling Meadows, une autre au Cercle artistique, une autre chez les voisins, sans oublier mon Boris arpentant les rues de NYC avec, sur ses talons, ma Daisy inquiète ; il faudra traiter de tout cela. Et nous savons tous que la simultanéité est pour les mots un GROS problème. Ils viennent en séquences, toujours, seulement en séquences et, par conséquent, pendant que je mets de l'ordre là-dedans, je vais en référer au Dr Johnson. Faire référence au Dr Johnson à un moment critique, c'est un bon plan, notre grand homme de la langue anglaise, notre sage, gros, goutteux, scrofuleux, bienveillant et spirituel glouton, un être d'autorité vers qui nous pouvons nous tourner en cas de difficulté, un *pater familias* culturel qui était si important qu'il a fait rédiger sa chronique par un homme à lui alors qu'il était encore VIVANT. Et ça, c'était au XVIIIe siècle, longtemps avant que tous les Pierre, Paul, Jacques, Lily ou Jeanne ne rendent compte sur Internet de chaque détail clinquant et imbécile de leur vie lamentable. (Veuillez noter l'ajout de Lily et Jeanne ; il n'existe pas d'équivalent féminin de "Pierre, Paul ou Jacques", qui suggère tout un chacun ; toute une chacune, hélas, serait chose entièrement différente.) Le monde des écrivassiers, toutefois, au grand désarroi du Dr Johnson, débitait d'innombrables confessions ou fausses confessions tout aussi affreuses et consternantes que les Mémoires de misère contemporains. Mais suffit. Nous citons *Rasselas*, un passage sur le mariage, dans lequel notre héros propose son appréciation du sacrement :

> Ainsi procède d'ordinaire le mariage. Un jeune homme et une jeune fille se rencontrent par hasard

ou sont réunis par artifice, ils échangent des regards, se renvoient des politesses, rentrent chez eux et rêvent l'un de l'autre. Faute d'objets susceptibles de détourner leur attention ou de diversifier leurs pensées, ils se trouvent mal à l'aise lorsqu'ils sont séparés et en concluent qu'ils seront heureux ensemble. Ils se marient et découvrent ce que seul un aveuglement volontaire leur avait d'abord dissimulé ; ils épuisent leur existence en altercations et accusent la nature de cruauté.

Une ignorance volontaire déguise la sombre réalité : tu veux dire que nous sommes coincés ensemble ? Mais c'est différent, maintenant, dit le lecteur plein de bon sens. Ça, c'était autrefois. Nous sommes plus éclairés que les Lumières, nous autres du XXIe siècle, avec nos trucs et nos gadgets et nos joujoux haut débit et le divorce sans culpabilité. Ho ! Ho ! Ho ! vous réponds-je. Les peines liées au sexe sont sans fin. Donnez-moi une époque, et je vous donnerai un récit à vous tirer des larmes de relations conjugales tournées à l'aigre. Puis-je vraiment en vouloir à Boris pour sa Pause, pour son besoin de vivre l'instant, de s'emparer de l'occasion pausale tant qu'il en était encore temps, encore temps pour l'homme d'un autre temps qu'il était en train de devenir ? N'avons-nous pas tous le droit de folâtrer, de baiser, de batifoler ? La vie sexuelle du Dr Johnson n'a guère été dévoilée, grâce au ciel, mais nous savons que David Garrick a confié à David Hume, qui l'a confié à Boswell, qui l'a raconté dans son journal, qu'après avoir été témoin du plaisir de Johnson un soir dans son théâtre, Garrick avait émis à haute voix le souhait que l'éminent lexicographe revienne souvent, mais que le Grand Homme avait assuré qu'il n'en ferait rien. "Car les tétons blancs et les bas de soie de vos actrices, déclara le Sage, excitent mes parties." Nous avons tous nos parties excitables, adaptives ou non, et il est dans notre nature d'en faire usage. On peut être malade de jalousie et de solitude et néanmoins comprendre cela.

Mais il est un autre aspect des longs mariages dont on parle peu. Ce qui est d'abord satisfaction oculaire, la vision resplendissante du ou de la bien-aimé(e), qui suscite l'appétit pour des parties de jambes en l'air ininterrompues, se modifie avec le temps. Les partenaires prennent de l'âge, ils changent et deviennent si habitués à la présence l'un de l'autre que la vue cesse d'être le sens le plus important. J'écoutais les bruits de Boris, le matin, si, en m'éveillant, je trouvais vide sa moitié du lit, je l'écoutais tirer la chasse ou remplir la bouilloire d'eau. Je sentais les os durs de ses épaules quand je posais les mains dessus pour le saluer en silence pendant qu'il lisait le journal avant de se rendre au labo. Je ne scrutais pas son visage et n'examinais pas son corps ; je sentais simplement qu'il était là, juste comme je sentais son odeur, la nuit, dans le noir. L'odeur de son corps tiède faisait partie de la chambre. Et quand nous avions nos conversations qui souvent se prolongeaient dans la nuit, c'était à ses phrases que j'étais attentive. Sensible aux transitions qu'il faisait d'une réflexion à l'autre, je me concentrais sur le contenu de ses propos au fur et à mesure qu'il se déroulait dans mon esprit, et je lui donnais sa place dans le dialogue incessant entre nous, lequel était parfois sauvage mais le plus souvent ne l'était pas. Il était rare que je l'étudie. Parfois, après que nous l'avions fait, il se baladait nu dans la chambre et je regardais son long corps pâle au ventre rond et sa jambe gauche avec sa varice bleue et ses pieds tendres et bien formés, mais pas toujours. Il ne s'agit pas ici de la cécité volontaire d'une attirance neuve ; c'est la cécité d'une intimité résultant des années d'une vie parallèle, tant de ses meurtrissures que de ses bonheurs.

Au cours de notre avant-dernière communication avant le congé qu'elle allait prendre au mois d'août, je racontai au Dr S. ce que je n'avais jamais raconté à personne. Une semaine avant que Stefan ne se tue, nous attendions Boris ensemble, assis tous les deux sur le canapé, chez nous, à Brooklyn. Mon beau-frère était sorti de l'hôpital depuis deux jours seulement. Il prenait son lithium, mais il avait expliqué que ça lui aplatissait les méninges, que ça l'éloignait de la réalité. Il se pencha en arrière dans le canapé, ferma les yeux et dit : *Mais même quand ma tête est morte, je t'aime, Mia*, et je répondis que je l'aimais, moi aussi, et il dit : *Non, je t'aime. Je t'ai toujours aimée et ça me tue.*

Stefan était fou, mais il n'était pas toujours fou. Il n'était pas fou à ce moment-là. Et il était beau. Je l'avais toujours trouvé beau, si las et déçu qu'il fût. Les frères se ressemblaient, mais Stefan était beaucoup plus mince et plus délicat, avec quelque chose de féminin dans ses traits. Ses manies l'affamaient car il oubliait de manger. Quand il planait, il allait se vautrer avec des putes ramassées dans des bars ou s'acheter des masses de livres qu'il n'avait pas les moyens de payer et, de même que mon ami Personne, il proférait de mystérieux discours philosophiques parfois difficiles à suivre. Mais, ce jour-là, il était calme. Je dis je ne sais plus quoi, que ce sentiment était une erreur, je rappelai tout le temps que nous avions passé ensemble, qu'il avait fini par compter sur moi, je bégayais de confusion, et puis mes phrases s'effilochèrent et se turent, mais il reprit : *Je t'aime parce que nous sommes pareils. Nous ne sommes pas comme le Général en Chef.* C'était l'un des surnoms que Stefan donnait à Boris. Lorsqu'il était d'humeur belliqueuse, Stefan faisait parfois à son frère aîné un salut militaire. *Ma sœur la Vie*, dit Stefan en tournant son visage vers moi et en prenant mes joues dans ses mains *et il m'a embrassée longuement et fort et je l'ai laissé faire et j'ai adoré et je n'aurais jamais dû*, dis-je au Dr S. Avant que Boris ne passe la porte, j'avais dit à Stefan que nous ne pouvions pas et que ç'avait été stupide, tout le baratin habituel, et il avait eu l'air tellement blessé. Et ça me tue. Ma sœur la Culpabilité. Son terrible visage mort, son terrible corps mort.

Je savais que je n'étais pas responsable de la mort de Stefan. Je savais qu'il devait avoir décidé dans un moment de désespoir qu'il ne voulait plus chevaucher le dragon, et pourtant je n'avais jamais pu reproduire à haute voix notre conversation, jamais pu lâcher les mots dans l'étendue des champs sous le vaste ciel. En m'entendant parler, je compris qu'en déclarant notre faiblesse commune et l'irritation que le Grand Boris nous inspirait à tous deux, Stefan m'avait liée à lui par un baiser. Ce n'était pas le baiser en tant que tel qui m'avait mortifiée et réduite au silence, mais ce que j'avais senti en Stefan, sa jalousie, sa rancune, et c'était cela qui m'avait effrayée, non parce que ces sentiments étaient ceux de Stefan mais parce qu'ils étaient aussi les miens. Le petit frère. L'épouse. Ceux qui viennent en second.

“Mais, vous et Stefan, vous n'étiez pas pareils”, dit le Dr S., peu de temps avant que nous ne raccrochions.

Pas pareils. Différents.

“A l'hôpital, j'avais l'impression d'être comme Stefan.

— Mais, Mia, dit le Dr S., vous êtes vivante, et vous voulez vivre. D'après ce que je vois, votre désir de vivre éclate de partout."

Ma sœur la Vie.

Je m'écoutai respirer pendant un moment. J'entendais dans le téléphone la respiration du Dr S. Oui, pensai-je. Mon désir de vivre éclate de partout. Ça me plaisait. Je lui dis que ça me plaisait. Nous sommes de si étranges créatures, nous autres humains. Il s'était passé quelque chose. Raconter avait dénoué quelque chose.

"Si j'étais auprès de vous en cet instant, dis-je, je sauterais sur vos genoux et je vous embrasserais de toutes mes forces.

— Vous en auriez plein les bras", dit-elle.

A peu près en même temps, à quelques jours, voire à quelques semaines près, antérieurs ou postérieurs, les événements suivants avaient lieu en dehors de ma conscience phénoménale immédiate, pas nécessairement dans l'ordre où ils sont présentés. Ils ne peuvent être décryptés ni par moi ni, sans doute, par quiconque, et donc, en vrac :

Ma mère lit *Persuasion* pour la troisième fois afin de se préparer à la réunion du club de lecture qui doit se tenir le 15 août dans le salon de Rolling Meadows. Elle s'est installée pour cette tâche dans une position d'extrême confort. Allongée sur son lit avec trois oreillers dans le dos, un coussin en demi-lune autour du cou en prévention des tiraillements arthritiques, une bouillotte chaude pour ses pieds froids, des lunettes de lecture pour le bout de son nez afin de faire le point sur les mots imprimés et un pupitre portable commandé tout spécialement, qui maintient le livre en position, elle se plonge dans les vies de gens qu'elle connaît bien, en particulier Anne Elliot, que ma mère, Bea et moi aimons toutes et dont nous parlons comme si Kellinch Hall était situé au bout du couloir et si cette chère vieille Anne, si bonne, si patiente et si raisonnable, pouvait à tout moment frapper à notre porte.

Pete et Lola se disputent, beaucoup.

Daisy, qui est encore Muriel tous les soirs au théâtre, devient Daisy le Limier après les représentations et suit à la trace son sphinx de père à travers la ville. L'homme s'adonne à de longues pérambulations nocturnes dont elle ne comprend pas la signification. Fidèle à elle-même, Daisy arbore pour ses expéditions de détective privé des costumes flamboyants qui (bien que je n'en sache rien, ni de sa vie d'espionne, à l'époque) semblent de nature à la rendre plutôt plus voyante que moins : lunettes, sourcils, nez et moustache à la Groucho Marx ; longue perruque blonde avec robe du soir rouge à paillettes ; tailleur strict et attaché-case ; chapeau melon et canne. Bien sûr, à New York, où les nus, les givrés et les extravagants se mêlent librement aux rangés et aux conventionnels, elle aurait pu croiser des hordes de piétons sans qu'on lui lance un coup d'œil. Aux alentours de trois heures du matin, chaque nuit, Boris revient à l'appartement de la 70e Rue est, ouvre sa porte et disparaît de la vue de notre fille, après quoi elle rentre chez elle à TriBeCa, s'effondre épuisée sur son lit et, ainsi qu'elle me le racontera plus tard, *écrase*.

Simon rit pour la première fois. Alors que Lola et Pete penchent sur le berceau princier leurs visages éperdus d'admiration, il regarde ses deux adeptes, agite bras et jambes dans un élan d'excitation, et glousse.

Abigail progresse dans la lecture de mes six minces recueils de poèmes, tous fidèlement publiés chez Fever Press, San Francisco, Californie : *Diction oubliée*, *Petites vérités*, *Hyperbole au paradis*, *La Femme d'obsidienne*, *Peste en soit !* et *Clins, brins et riens.*

Regina oublie. Ni ma mère, ni Peg, ni Abigail ne peuvent dire exactement quand elles ont commencé à remarquer le déclin de la mémoire chez leur amie. Elles oublient toutes des bribes de la réalité récente, mais les oublis de Regina ont une coloration différente. Les trois Cygnes (les quatre, quand George vivait encore) ont toléré la vanité, l'égocentrisme et l'agitation de Regina (elle ne pouvait pas prendre un repas au restaurant sans changer trois fois de table) parce qu'elle sait s'amuser. Elle a organisé des thés pour elles et commandé des billets à telle et telle occasion. Elle a raconté des blagues en s'embrouillant délicieusement, et est rarement apparue sur le seuil de ses amies sans une offrande : une fleur, ou une boîte ou un bougeoir décoratifs, ramassés quelque part au cours de sa vie de voyages d'un continent à l'autre ; mais l'advenue d'une possible thrombose – "droit aux poumons, et je suis morte" – avait conféré à son caractère déjà instable un propulseur supplémentaire, qui s'était mis à tourbillonner à grande vitesse. Son amnésie croissante en ce qui concernait rendez-vous, conversations, l'endroit où se trouvaient ses clés, son sac ou ses lunettes, et certains visages (pas ceux des Cygnes, mais d'autres) tournait rapidement à la panique et aux larmes. Les déficits dont les trois autres plaisantent, les attribuant à la "sénioriose" ou au "cerveau de vieille dame", semblent dévaster Regina. Elle a couru chez son docteur trois ou quatre fois par semaine, a répété d'un air maussade qu'elle ne peut tout simplement pas croire, pas *croire* qu'elle, elle, Regina, qui a été jadis, en tout cas par alliance, un acteur essentiel dans le monde de la diplomatie internationale, ait abouti dans *cet endroit*, un *asile – c'est bien ce que c'est, n'est-ce pas, un asile ?* Elle ressent cela comme un outrage. Et ainsi, petit à petit, sans que personne puisse désigner exactement le moment de la transformation, la vieille coquette s'est éloignée de ses amies beaucoup plus stoïques.

Flora devient psychologue : "Maman, tu sais ce qui est drôle ?

— Non, Flora, répond Lola.

— Parfois je t'aime très, très fort, mais d'autres fois, vraiment, je te déteste !"

Ellen Wright fait signe aux autres mères, raconte calmement l'histoire d'Alice et organise chez elle une réunion parents-enfants. Elle me convie aussi, mais je décline à cause de Bea et je dis que je vais réorienter mon cours vers des poèmes qui encouragent le Bien – compréhension mutuelle, camaraderie chaleureuse, gentillesse attendrie – bien que je n'aie pas la moindre idée de la façon dont je vais m'y prendre. Ce que je sais, c'est que le colloque a lieu le dimanche suivant le fatal vendredi où Alice a lâché les déplaisants détails de sa persécution. Mères et filles (le père d'Alice est le seul personnage masculin présent) se retrouvent à peu près à l'heure où Bea, ma mère et moi prenons un verre de sancerre en préparant le dîner d'adieux de Bea dans ma cuisine de location – un succulent poulet rôti avec ail, citron et huile d'olive, une salade de pommes de terre nouvelles et des haricots du jardin de Lola. Impossible de rassembler parfaitement les comptes rendus de seconde main, mais le drame se déroule, sinon comme suit, du moins d'une façon très proche et, ainsi que nous le savons tous, même les récits de témoins oculaires ne sont guère fiables et il vous faudra donc vous contenter d'avaler ce rapport tel que j'ai décidé de le rédiger.

Six mères tendues remorquant six filles irritables pénètrent à tour de rôle dans le living-room des Wright. (Quelqu'un a-t-il ou non un regard pour le grand poster du Chicago Art Institute représentant le moine de Goya vainqueur d'un bandit en six tableaux, qui se trouve au mur au-dessus du canapé, je ne saurais le dire, mais c'est une œuvre formidable, même en reproduction.) Ellen Wright, qui a jadis suivi une formation d'assistante sociale avant d'être employée, maintenant, dans le service administratif de la clinique de Bonden, ouvre la séance en faisant une brève déclaration au cours de laquelle elle utilise le mot couramment utilisé aujourd'hui pour décrire les événements en question : *brimades*. Elle en observe la fréquence, le dommage potentiel à *la santé mentale à long terme*, note que les filles sont plus sournoises et plus dissimulées que les garçons (les adjectifs sont de moi) et que de tels agissements ne s'effacent pas d'eux-mêmes ; *y faut tout un village*. Je ne suis pas responsable des expressions creuses qui encombrent le discours de la sociologie populaire. Mme Wright exprime alors un réel désir d'écouter, de donner la parole à tous les participants.

Suit un silence. Plusieurs paires d'yeux furieux se fixent sur Alice, assise entre des amortisseurs parentaux.

Mme Lorquat-à-la-divinité-réprobatrice, mère de Jessie, se demande à haute voix comment, étant donné qu'une si grande partie de ce qui s'est passé était anonyme, on peut savoir que sa Jessie était le moins du monde *impliquée*.

Mme Hartley, mère d'Emma, pousse sa fille du doigt pour en obtenir des mots. Après plusieurs poussées, Emma, rougissante, avoue des messages concoctés par un ensemble de comparses. Et elle nomme des noms : Jessie, Ashley, Joan, Nikki et elle-même. Mais *c'était pas pour de vrai* ; c'était juste *des blagues idiotes de filles*.

Nikki et Joan lâchent alternativement de brèves exclamations signifiant qu'elles non plus n'avaient pas eu l'intention de nuire. C'était juste qu'Alice était tout le temps en train de parler de Chicago, et qu'elle lisait toujours des livres et qu'elle se conduisait mieux que les autres et que donc elles avaient pensé qu'elle était *genre bêcheuse et tout ça* et alors...

Mme Larsen, mère d'Ashley, visage las, voix douce, interroge innocemment sa fille au visage de pierre : *Mais je croyais qu'Alice et toi vous étiez si bonnes amies.*

On *est* amies !

Peyton, au supplice sous une avalanche de remords, crie le mot *menteuse* et se décharge de révélations qui ne surprendront ni vous ni moi, tandis que Mme Berg s'efforce de tempérer le zèle de sa fille en répétant calmement : Ne crie pas, Peyton, mais Peyton crie néanmoins que c'est Ashley qui a pris la photographie et l'a mise sur le Net, et qui a suggéré la fausse lettre de Zack et qu'elle, Peyton, a marché dans le coup et qu'elle s'en veut, vraiment elle s'en veut. Mais Peyton n'a pas fini. Il y a plus. Peyton dit qu'elle avait peur d'en parler, elle avait *la frousse* parce qu'elle, Ashley, avait fondé ce club appelé Les Sorcières. Avant d'y être admise, chaque fille acceptait de se couper avec un couteau et de saigner suffisamment pour signer de son sang un document dans lequel elle faisait serment d'allégeance aux autres membres et promettait que leur sombre association resterait un secret *à jamais.* Peyton fait voir, en guise de preuve, une petite cicatrice sur la cuisse d'une très longue jambe gauche.

Ce tour gothique donné à la situation, avec son air de rituel satanique, crée un remous parmi les adultes. Le pauvre M. Wright, professeur de chimie, habitué à guider de futurs étudiants en médecine à travers les pics et les vallées de formules prédisant le comportement d'ions polyatomiques, est mal à l'aise à l'extrême et se plonge dans un examen approfondi de ses ongles. Mme Lorquat laisse échapper un hoquet, des documents sanglants constituant une offense envers Dieu pire encore que D. H. Lawrence. Les mères de Nikki et Joan, amies pour la vie, assises l'une à côté de l'autre, restent bouche bée à l'unisson. Un interrogatoire consterné des Sorcières s'ensuit.

Ashley fond en larmes.

Alice observe.

Ellen observe Alice.

Ce qu'Alice pense en ce moment, nous l'ignorons, mais il est plus que probable qu'elle éprouve une certaine satisfaction à voir découvertes les sorcières pubescentes de Bonden. En même temps, Alice ne s'en va nulle part. Elle reste en ville avec les petites diablesses, ses amies.

Commentaire. Les instruments des ténèbres nous révèlent des vérités. Lesquelles ? Les garçons seront toujours des garçons : exubérants, indisciplinés, donneurs de coups de pied, grimpant aux arbres. Mais les filles seront-elles toujours des filles ? Gentilles, maternelles, douces, passives, intrigantes, furtives, méchantes ?

Nous prenons tous le même départ dans le ventre de notre mère. Tous, tant que nous sommes, quand nous flottons dans la mer amniotique de nos premiers oublis, nous possédons des gonades. Si le chromosome Y ne se mêlait pas d'agir sur les gonades de certains d'entre nous et d'en faire des testicules, nous deviendrions tous des femmes. En biologie, l'histoire de la Genèse est inversée : Adam devient Adam à partir d'Eve, et non le contraire. L'homme est la côte métaphorique de la femme, et non la femme celle de l'homme. La plupart du temps, c'est XX = ovaires, XY = testicules. Galien, le célèbre médecin grec, pensait que les organes sexuels féminins étaient l'inversion des organes masculins, et vice versa, opinion qui perdura durant des siècles. "Tournez ceux de la femme au-dehors, tournez au-dedans, pour ainsi dire, et pliez en deux ceux de l'homme et vous trouverez la même chose chez les deux, à tous égards." Bien entendu, le dehors l'emportait à tous les coups sur le dedans. Dedans, c'était nettement moins bien. Pourquoi, exactement, je l'ignore. Dehors est joliment vulnérable, si vous voulez mon avis. A vrai dire, l'angoisse de castration est très justifiée. Si je trimballais mes organes reproducteurs à l'extérieur, je serais sacrément inquiète, moi aussi, pour ce délicat petit appareil. Ainsi qu'il en est du nombril humain, l'antique modèle sexuel avait ses dedans et ses dehors, ce qui signifiait qu'un dedans pouvait vous faire la surprise de devenir un dehors, tout particulièrement si vous aviez l'habitude de vous comporter comme quelqu'un qui avait déjà un dehors. Ce *yard* caché, replié sur lui-même, pouvait tout bonnement faire une apparition subite. Montaigne, sommet de la littérature du XVIe siècle qu'il était, souscrivait à la thèse du dedans/dehors : "Mâles et femelles sont coulés dans le même moule et, éducation et usage mis à part, la différence n'est pas grande." Il reprend une histoire bien connue, celle de Marie-Germain, qui fut simplement Marie jusqu'à l'âge de vingt-deux ans dans la version de Montaigne (quinze selon d'autres versions) mais, un jour, à cause d'un effort violent (franchir un fossé d'un bond en courant après des cochons), la tringle virile surgit de son corps et Germain naquit. Incroyable, dites-vous. Impossible, dites-vous. Mais il existe une certaine famille à Porto Rico et une autre au Texas dans la formule génétique desquelles XY ressemble en tous points à XX. En d'autres termes, le phénotype déguise le génotype, en tout cas jusqu'à la puberté quand, alors que les jeux semblent faits, les petites filles deviennent petits garçons et grandissent en tant qu'hommes. Carla se transforme en Carlos ! Notre fille chérie devient notre fils chéri sans un seul instrument chirurgical en vue. Ce qui est certain, c'est qu'*in utero*, la différenciation sexuelle est affaire fragile. Les choses peuvent s'embrouiller et le font.

Mia, protestez-vous, où veux-tu en venir ? Détendez-vous, respirez profondément, je vais prendre très bientôt mon virage rhétorique. La question, ici, est une question de similitude ou de différence, de ce que Socrate, dans la *République*, qualifie de "controverse sur les mots". Il dit à son interlocuteur, Glaucon, qu'ils se trouvent engagés dans "dispute éristique" parce qu'ils n'ont pas pris la peine de se demander "quel était le sens de «nature différente» et quel était celui de «même nature» et à quoi nous tendions dans nos définitions lorsque nous attribuions à une nature différente des pratiques différentes et les mêmes à une même nature". Le père suprême de la philosophie occidentale s'en prend au problème homme/femme dans le cadre de son utopie et vient se reposer (non sans un certain malaise, à mon avis, mais il se repose néanmoins) sur ceci : "Mais si la seule différence, c'est que la femelle porte et que le mâle engendre, nous n'admettrons pas que c'est une différence méritant d'être prise en compte dans notre propos." Le propos : savoir si, dans la République, les femmes devaient bénéficier de la même éducation que les hommes et être ensuite autorisées à gouverner à leurs côtés.

Les mêmes dans l'ensemble, mais différents en parties, surtout ces parties inférieures qui engendrent et portent ? Ou d'*espèces* différentes ? Thomas Laqueur, paix à son âme, a écrit un livre entier sur ce sujet. Une fois effondrée la théorie du dedans/dehors, quelque part au XVIIIe siècle, les femmes ne furent plus des hommes invertis ; nous étions totalement AUTRES : nos os, nos nerfs, nos muscles, nos organes, nos tissus, tous différents, une autre mécanique à tous égards, et cet *alien* biologique était d'une délicatesse indicible. En 1786, Paul-Victor de Sèze, s'il reconnaissait que l'intelligence est commune à l'ensemble du genre humain, affirmait néanmoins que son emploi actif ne convient pas à tous mais pourrait, selon lui, être fort nuisible pour les femmes. Il attribuait à notre faiblesse naturelle le fait qu'une plus grande activité cérébrale de notre part épuiserait tous nos autres organes et perturberait par conséquent notre fonctionnement propre, principalement en ce qui concerne nos fonctions reproductrices, qu'un exercice excessif de notre cerveau fatiguerait et mettrait en danger. La théorie selon laquelle penser flétrit les ovaires a vécu une longue et robuste vie. Le Dr George Beard, auteur de *La Nervosité américaine*, soutenait que, contrairement à “la squaw dans son wigwam”, qui, centrée sur ses régions inférieures, donnait le jour à un enfant après l'autre, la femme moderne était déformée à force de penser et, à preuve, il citait les travaux d'un distingué collègue qui avait mesuré des utérus supérieurement instruits et les avait trouvés inférieurs de moitié en taille à ceux qui n'avaient jamais été exposés à l'enseignement. En 1873, le Dr Edward Clarke, à la suite du noble Beard, publia un ouvrage au titre amical : *Sex in Education, A Fair Chance for Girls (Sexe et éducation – une chance égale pour les filles)*, dans lequel il affirmait que les jeunes filles devraient être bannies des classes pendant leurs règles et citait des preuves solides, provenant d'études cliniques menées à HARVARD sur des intellectuelles, démontrant qu'un excès de connaissances avait rendu ces pauvres créatures stériles, anémiques, hystériques, voire folles. Peut-être était-ce là mon problème. Je lisais trop, et mon cerveau a explosé. En 1906, l'anatomiste Robert Bennet Bean déclarait que le corps calleux – les fibres neurales réunissant les deux hémisphères du cerveau – était plus volumineux chez les hommes que chez les femmes et présentait l'hypothèse selon laquelle “les dimensions exceptionnelles du corps calleux peuvent signifier une activité intellectuelle exceptionnelle”. Grosse intelligence = gros CC.

Mais plus personne ne profère de telles inepties aujourd'hui, dites-vous. La science a changé. Elle se fonde sur les faits. Et pourtant des collègues de mon époux renégat sont fort occupés à mesurer le volume et la densité du cerveau, à en scanner le flux sanguin oxygéné, à injecter des hormones à des souris, des rats et des singes et à éliminer des gènes à gauche et à droite dans le but de démontrer de manière indiscutable que la différence entre les sexes est profonde, prédéterminée par l'évolution et plus ou moins fixée. Nous avons des cerveaux mâles et femelles, différents non seulement en ce qui concerne la fonction reproductrice mais en d'innombrables autres manières *essentielles*. S'il est vrai que le cerveau est commun à l'ensemble du genre humain, chaque sexe possède son propre GENRE de CERVEAU. Le Dr Renato Sabbatini, par exemple, neurophysiologiste distingué, qui a fait un post-doc à l'INSTITUT MAX-PLANCK, énumère une longue liste de différences entre nous et eux avant d'annoncer : "Ceci peut expliquer, selon les savants, le fait qu'il y ait beaucoup plus de mathématiciens, de pilotes d'avion, de guides de brousse, d'ingénieurs mécaniciens, d'architectes et de coureurs automobiles masculins que féminins." Etudiez tant que vous voudrez, les filles, vous ne résoudrez jamais une équation de Riccati. Pourquoi ? L'idée du wigwam revient, sans les Amérindiens, toutefois (il n'est plus possible de diaboliser ni d'idéaliser le wigwam, nous devons nous reporter à des peuples qui ne risquent pas de se sentir insultés) : "Les hommes des cavernes chassaient. Leurs femmes ramassaient à manger près de la caverne et s'occupaient des enfants." Mais il n'y a pas à s'inquiéter, nous assure cet estimé professeur (citant une AUTORITÉ paternelle encore supérieure, ce grand "père" de la sociobiologie à HARVARD, Edward O. Wilson), votre degré d'évolution ne vous permet sans doute pas de devenir guides de brousse mais "les femelles humaines tendent à surpasser les mâles dans les domaines de l'empathie, des talents verbaux, des talents sociaux et de la recherche de sécurité, entre autres, tandis que les hommes tendent à être meilleurs en ce qui concerne l'indépendance, la dominance, les talents spatiaux et mathématiques, l'agressivité liée au rang et autres caractéristiques". La supériorité de nos "talents verbaux", si nous appliquons la logique du professeur, explique que les femmes aient depuis si longtemps dominé les arts littéraires, pas le moindre homme en vue. Je suis certaine que vous avez remarqué, vous aussi, que lorsqu'il est fait référence aux titans de la littérature contemporaine, dans la presse universitaire comme dans la populaire, le nombre des femmes est, parmi eux, tout simplement écrasant.

Je suis heureuse d'affirmer que mon Boris à moi (ou qui-était-à-moi) ne serait pas d'accord avec le Dr Sabbatini. Si plongé jusqu'aux oreilles dans les rats que soit mon bonhomme, et si attaché à l'évolution et aux gènes qu'il soit également, il sait que les gènes s'expriment au travers de l'environnement, que le cerveau est plastique et dynamique, qu'il se développe et se transforme avec le temps en fonction de ce qui se trouve *dehors*. Il sait aussi, en dépit de ce qui nous est commun, que les gens ne sont pas des rats et que les fonctions exécutives supérieures chez les humains peuvent être décisives dans la détermination de ce que nous devenons, et il sait qu'une science juste un jour peut devenir le lendemain une science erronée, ainsi qu'il en fut de la découverte sensationnelle, en 1982, du fait que le corps calleux, ce même connecteur fibreux des hémisphères du cerveau cher au Dr Bean et, en particulier, un élément de ce corps calleux connu sous le nom de splénium, est en réalité PLUS VOLUMINEUX chez la femme que chez l'homme. Cette étude, bientôt annoncée à grand bruit par le magazine *Newsweek*, n'affirmait pas que les femmes sont intellectuellement supérieures (idée jamais avancée dans les annales de l'histoire humaine) mais, plutôt, que nous autres du gros CC, nous possédons une plus grande communication entre les hémisphères de notre cerveau, ce qui, dans *Newsweek*, avait été commodément traduit par "intuition féminine". Mais alors une étude portant sur des Coréens, hommes et femmes, révéla que ce fichu machin était plus gros chez les hommes. Les Coréens doivent être spéciaux. Ensuite une nouvelle étude ne trouva aucune différence. D'autres études suivirent : un peu plus gros, un peu plus petit, à peu près pareil, pas de différence. En 1997, Bishop et Walsten, auteurs d'un compte rendu portant sur quarante-neuf études consacrées au corps calleux, conclurent : "La croyance généralement répandue que les femmes ont un plus gros splénium que les hommes et que, par conséquent, elles pensent différemment, est intenable." Oups. Mais le mythe circule toujours. Un demeuré qui répandait joyeusement ses conceptions scientifiques toutes personnelles a qualifié le CC de "membrane affective du cerveau".

Ce n'est pas qu'il n'existe pas de différence entre hommes et femmes ; c'est : quelle différence fait cette différence, et quel cadre nous choisissons de lui donner. Toute époque a eu sa science de la différence et de l'identité, sa biologie, son idéologie et sa biologie idéologique, ce qui nous ramène, enfin, à nos petites méchantes, à leurs frasques et aux instruments des ténèbres.

Nous avons le choix entre plusieurs instruments des ténèbres contemporains, tous réducteurs, tous commodes. Fonderons-nous notre explication sur la très spéciale, quoique douteuse, altérité du cerveau féminin ou sur des gènes évolués à partir de ceux de ces "femmes des cavernes qui ramassaient à manger près de chez elles" il y a des milliers d'années, ou sur les dangereux afflux hormonaux de la puberté ou sur une éducation sociale néfaste qui canalise chez les filles des pulsions d'agressivité ou de colère cachées ? Sûrement que notre Ashley, contrairement à l'analyse du bon docteur, est profondément intéressée par la "dominance sociale" et "l'agressivité liée au rang", en dépit de son statut XX, exactement comme l'était mon amie Julia, quand j'étais dans une vie précédente une écolière de sixième, lorsque je dépliai un bout de papier qu'on avait laissé sur mon pupitre et lus les mots composés avec des lettres découpées dans un magazine : "Tout le monde te déteste parce que t'es qu'une frimeuse." Et je me souviens de m'être demandé : Suis-je une frimeuse ? N'avais-je pas emprunté à la bibliothèque des livres imprimés très petit qui étaient trop difficiles pour moi ? Est-ce que cela prouvait qu'elles avaient raison ? Le message remuait en moi la vase psychologique – culpabilité, faiblesse, et l'inquiétude, si fort que fût mon désir d'être aimée et admirée, de n'en être pas digne – et moi, mauviette et pleurnicheuse, je leur permettais de m'empoisonner. Frimeuse ! Je ne l'étais pas assez. Gloire à l'artifice, au masque de clown, au visage de Dracula pour cacher la faiblesse. Revêts ton armure et ramasse ta lance. Cultive un brin de fausseté, si elle te protège des vipères.

Les truismes sont souvent faux, mais le fait que la cruauté soit une réalité de la vie humaine n'est pas de ceux-là. Il nous faut approcher, venir assez près pour sentir l'odeur de sang de leurs coupures et le frisson de secret et de danger théâtral que procuraient aux filles leurs sabbats de sorcières. Nous devons être proches d'elles au point de ressentir le plaisir qu'elles prenaient à blesser Alice et proches d'Alice au point de voir comment, dans sa vulnérabilité et son besoin d'être tellement, tellement sage, elle s'était privée de ses crocs, exactement comme moi avant elle.

Mais, me dis-je, tu n'as plus douze ans. Tes crocs ne sont peut-être pas des plus acérés, mais ils ont repoussé et maintenant tu peux agir. Je donnai sept coups de téléphone et expliquai à sept mères que je souhaitais prendre une semaine de congé et que, durant cette semaine, chacune des filles devait écrire son récit de ce qui s'était passé, soit en poésie, soit en prose. Minimum deux pages. Le restant du cours serait consacré à traiter de ce matériel d'une manière ou d'une autre. Je fis preuve de fermeté. J'entendis bien quelques murmures soucieux à l'idée de "revenir encore sur tout ça", mais pour finir personne ne s'y opposa, pas même Mme Lorquat, qui semblait véritablement bouleversée par tout ce désordre impie.

Chère maman,

Papa a déménagé à l'hôtel. Je ne suis pas sûre de ce qui se passe, exactement, mais nous allons dîner ensemble jeudi et il a promis de me parler, d'être tout à fait honnête. Je lui ai dit qu'il devrait vraiment t'écrire, et il m'a assurée qu'il le ferait, mais je dois te dire qu'il m'a paru affreusement triste au téléphone, tout raplapla. Difficile d'en savoir plus, maman, mais je te tiendrai au courant. Dans une semaine et demie je serai à Bonden, ma petite maminette chérie, et je surgirai de ta porte et je te serrerai dans mes bras.

Bisous de ta fille à toi, Daisy.

A. Boris avait laissé tomber la Pause.

B. La Pause avait laissé tomber Boris.

C. La liaison durait toujours, mais le duo avait décidé que l'appartement pausal était trop exigu, d'où l'hôtel.

D. Les deux s'étaient séparés par consentement mutuel.

E. Rien de ce qui précède.

A était préférable à B, B à C. D était préférable à B. E était une inconnue, ou X. Abondant barattage interne à propos de A, B, C, D et X. Importante fabrication de satisfaisants fantasmes avec époux prodigue prosterné ou agenouillé, en proie aux plus vifs remords. Autres fantasmes, moins satisfaisants, avec cœur marital brisé par Française. Quelque activité introspective au sujet de l'état de mon propre cœur fourbu et en lambeaux. Pas un pleur.

Et alors, mercredi soir, vers neuf heures et demie, tandis que je me faisais à voix très basse la lecture de Thomas Traherne, étendue sur le canapé et le visage recouvert d'un masque de boue verdâtre, une préparation que j'avais achetée parce que ses fabricants promettaient qu'elle adoucirait et purifierait un vieux visage comme le mien (ils ne formulaient pas cela explicitement, mais l'euphémisme "ridules" sur l'étiquette avait traduit clairement leur intention), je l'entendis à côté, Pete le volcanique, qui hurlait deux interjections bien connues, un adjectif pour l'acte sexuel et un nom pour les organes génitaux féminins, les répétait encore et encore, et à chaque assaut verbal mon corps se raidissait comme sous l'effet d'un coup, et j'allai aux baies vitrées qui donnaient sur le jardin et restai là à observer la maison basse et modeste de mes voisins, mais les fenêtres ne révélaient personne. Il ne faisait pas encore tout à fait noir et le bleu profond du ciel était zébré des traces plus sombres de nuages grisonnants. J'ouvris les portes-fenêtres et sortis sur l'herbe, dans la chaleur de l'été, et j'entendis Simon pleurer, puis la porte d'entrée claquer. Je vis courir une ombre qui était Pete, entendis claquer la portière de la voiture, le démarrage, le moteur vrombissant et les pneus qui dérapaient lorsque la Toyota Corolla, disparaissant dans la rue déserte, prit un violent virage à droite, vraisemblablement vers le centre-ville. Et puis, dans le cadre de la fenêtre, je vis Lola entrer dans le salon avec Simon, la tête penchée sur lui et faisant sauter l'enfant dans ses bras tandis que Flora les suivait, telle une somnambule. Ils étaient entiers, tous les trois.

Je ne bougeai pas avant quelques minutes. Je restai plantée là, pieds nus dans l'herbe tiède, en proie à une tristesse incommensurable. Tout à coup, je me sentais triste pour nous tous, pauvres humains, comme si j'avais soudain été transportée vers le ciel et si, à l'instar de la narratrice omnisciente de quelque roman du XIXe siècle, je regardais de là-haut le spectacle de l'imparfaite humanité en souhaitant que les choses puissent être différentes, pas complètement différentes, mais suffisamment différentes pour éviter à certains d'entre nous un peu de souffrance ici ou là. C'était là un souhait modeste, assurément, pas une fantaisie utopique, mais le souhait d'une narratrice saine d'esprit qui hoche sa tête rousse striée de gris et se désole profondément, se désole parce qu'il est juste de se désoler que se répètent sans fin méchancetés, violences, mesquineries et douleurs. Et ainsi me désolai-je jusqu'à ce que la porte s'ouvre, que mes trois voisins émergent de leur maison, arrivent sur la pelouse, et que je les fasse entrer.

Ils étaient quatre, en réalité, car Flora avait amené Moki. Tout en marchant vers moi dans l'herbe, vêtue seulement de sa petite culotte Cendrillon, elle lui parlait avec véhémence, l'assurait que tout allait bien, qu'il ne devait pas s'en faire, pas pleurer, que tout allait s'arranger. L'enfant tapotait l'air auprès d'elle et lui donna un baiser et, dès que nous fûmes à l'intérieur, elle courut au canapé, se pelotonna en position fœtale et ferma hermétiquement les yeux. Je remarquai qu'elle ne portait pas sa perruque. Je m'assis près de Flora, fit signe à Lola de prendre un siège et la regardai s'y poser lentement, comme si elle était une vieille femme aux articulations douloureuses, avec un visage étrangement inexpressif. Elle ne semblait pas avoir versé de larmes – ses joues étaient sèches et les blancs de ses yeux épargnés par la rougeur – mais une houle lui agitait la poitrine et elle respirait profondément, comme quelqu'un qui vient de courir. Je posai doucement la main sur le dos de Flora. Celle-ci ouvrit son œil visible, enregistra ma présence et dit : "Tu es verte."

Ma main me vola au visage : je me rappelai le produit de beauté, sortis précipitamment pour l'enlever, revins dans la pièce et remarquai que, plus que toute autre chose, Lola semblait épuisée. Elle était vêtue d'un mince peignoir en tissu synthétique imprimé de motifs cachemire, qui s'était ouvert à l'encolure et dévoilait une bonne partie de son sein droit. Ses cheveux blonds lui tombaient sur les yeux en mèches désordonnées, mais elle ne faisait aucun effort pour rajuster le peignoir ou repousser les cheveux. Elle était inerte, au-delà de tout effort. Simon geignait en appuyant le sommet de son crâne contre le bras de sa mère, mais elle ne réagissait pas. Je lui pris le bébé et me mis à aller et venir de long en large en le secouant légèrement. Sans se retourner pour me regarder, elle dit d'une voix durcie par la détermination : "Je ne retournerai pas là-bas ce soir. Je ne veux pas être là quand il reviendra à la maison. Pas ce soir." Je leur offris mon lit, à quoi elle répondit : "On peut dormir dedans tous les quatre. C'est un *king size*, non ?"

Et nous dormîmes là, tous les quatre ou tous les cinq, selon la façon de compter. Après avoir donné à Lola quelques godets de whisky prélevés dans la réserve d'alcools forts des Burda, je berçai Simon jusqu'à ce qu'il s'endorme et le déposai sur le lit, grosse boule de bébé en pyjama bleu avec pieds, qui respirait bruyamment de la poitrine en serrant et desserrant automatiquement ses lèvres minuscules. Je repêchai une petite couverture que j'avais cachée et l'enroulai dedans pour le protéger du climatiseur, et puis j'amenai Flora inconsciente, qui émit un ronflement lorsque je tirai sur elle la couverture mais se tourna rapidement sur le côté et sombra dans un profond sommeil. Après mon retour, nous passâmes un moment assises ensemble, Lola et moi. Elle n'avait pas envie de parler de Pete. Je l'interrogeai à propos de la bagarre, mais elle déclara que leurs disputes étaient stupides, que c'était toujours à propos de rien, rien d'important, qu'elle était fatiguée, fatiguée de Pete, fatiguée d'elle-même, parfois même fatiguée des enfants. Je parlai très peu. Je savais que pour le moment j'étais l'air libre, l'endroit où mettre les mots, pas un véritable interlocuteur. Et puis, sans la moindre transition, elle se mit à me raconter que pendant trois ans, après avoir commencé l'école quand elle était petite, elle n'avait pas prononcé un mot. "Je parlais à la maison, à mes parents, à mon frère, mais je ne disais jamais rien à l'école, à personne. Je ne me rappelle pas grand-chose de la maternelle, mais je me souviens un peu du jardin d'enfants. Je me souviens de Mme Frodermeyer penchée vers moi. Son visage était vraiment grand et proche. Et elle me demandait pourquoi je ne lui répondais pas. Elle disait que ce n'était pas poli. Ça, je le savais. J'aurais voulu lui dire qu'elle ne comprenait pas. J'en étais incapable." Lola contempla ses mains. "Ma mère dit qu'à un moment donné, à l'entrée en primaire, je me suis mise à chuchoter. Elle était folle de joie. Sa gamine avait chuchoté. Et alors, peu à peu, j'ai parlé plus fort, j'imagine."

Une fois Lola blottie près de ses enfants dans le lit, je m'assis sur le bord et lui caressai la tête pendant près de vingt minutes. Elle n'a que deux ans de plus que Daisy, me disais-je. Je pensais à elle, Lola, la fillette silencieuse qui ne pouvait pas parler à l'école. L'angoisse de parler en un lieu qui n'est pas la maison, qui est dehors, qui est étranger. Cela portait un nom, ainsi que tant de choses, mutisme sélectif, pas tellement rare chez les petits enfants. Je pensai alors à une jeune femme qui avait été en traitement en même temps que moi à l'hôpital et je tâchai de me rappeler son nom, mais en vain. Elle ne parlait pas, elle non plus, pas un mot. Mince, blanche et blonde, elle me faisait penser à une revenante tuberculeuse de l'époque romantique. Je la voyais errer toute raide d'un bout à l'autre du couloir, les épaules voûtées, ses longs cheveux pâles tirés devant son visage comme un voile, trimballant un pichet en plastique qu'elle tenait très près de sa bouche de manière à pouvoir cracher dedans, parfois en silence, parfois en expectorant bruyamment des mucosités venues du fond de ses poumons, ce qui faisait ricaner les autres patients. Un jour, je l'avais vue se précipiter derrière un canapé dans la salle commune, s'accroupir, disparaître aux regards et alors, après un moment, je l'avais entendue vomir dans un raclement rauque. Dedans dehors. Dehors, le dehors. Fermez-moi hermétiquement, tendue comme un tambour. Fermez-moi les yeux. Fermez-moi la bouche. Barrez les portes. Baissez les stores. Laissez-moi dans mon sanctuaire sans mots, ma forteresse de folie. Pauvre fille, où était-elle à présent ?

Je me trouvai une place à côté de Flora et finis par m'endormir, malgré le concert sommeilleux que m'offraient mes hôtes d'une nuit : sifflements congestionnés du petit Simon, bruits de mastication de Flora suçant et mordillant son index, murmures inquiets de Lola et ce mot isolé, "non", qu'elle répéta plusieurs fois d'une petite voix aiguë. Bien qu'étendue dans le lit avec eux, je dérivai en pensée, comme de coutume, vers Boris, Sidney, la Pause et mon journal intime sexuel en hiatus. J'envisageai d'écrire quelque chose sur les innombrables rêves dont je m'étais réveillée en plein orgasme exubérant ou peut-être sur F. G., que j'avais appelé "le Brouteur" parce qu'il grignotait et mordillait, se déplaçant du haut en bas de mon corps comme si j'avais été un délectable pré vert. Je me laissai aller ensuite à plusieurs minutes d'irritation extrême à propos de la fantaisie biogénétique selon laquelle il serait possible de calculer avec exactitude le pourcentage d'influence des gènes comparée à l'influence de l'environnement sur les humains et commençai à écrire dans ma tête une critique cinglante, et puis la dernière chose dont je me souviens, qui adoucit considérablement mon humeur, fut le RETOUR À TRAHERNE et à son poème, "Ombres dans l'eau", dont je m'étais fait la lecture plusieurs fois à peine quelques heures plus tôt. Retour inspiré, je crois, par une vague rêverie à propos de Moki, dont je me demandais s'il était couché parmi nous, invisible, ce petit garçon fort et sauvage aux longs cheveux, qui ne volait que lentement, mais qui avait besoin de consolation après l'éruption paternelle, besoin des caresses et des baisers de sa très petite et dodue auteure, fraîchement-délestée-de-sa-perruque :

> O vous qui êtes sur la rive,
> Que si proche de moi, par la fente,
> Je m'émerveille de voir : quels visages, là,
> Quels pieds, quels corps revêtez-vous ?
> Je vois mes compagnons
> En vous, un autre moi.
> Ils semblaient autres, mais le sommes-nous ;
> Nos seconds moi, ce sont ces ombres.

Ce fut Pete qui me réveilla, pas lui en personne, sa voix au téléphone. Ce n'était pas une voix irritée mais posée, polie quoique tendue, demandant à parler à "ma femme". Je ne voyais pas mes visiteurs – le lit était vide – mais je les entendais dans la cuisine. Flora chantait des bêtises ; j'entendis tinter des assiettes et le bruit plus sourd d'un objet en heurtant un autre, que suivit alors un parfum bien reconnaissable de pain grillé.

Lola prit la communication dans la chambre pendant que je tenais Simon et supervisais le deuxième service du petit-déjeuner de Flora, toast tartiné de confiture, qu'elle agitait en l'air entre deux bouchées tout en allant et venant sur les carreaux noirs et blancs sans cesser de chanter. Le bébé cracha du lait partout sur ma veste de pyjama. L'odeur douceâtre du lait régurgité, la tache qui imprégnait l'étoffe et me mouillait la peau, le petit corps se tortillant et gigotant que je tenais bien serré contre moi me rappelèrent les temps anciens avec ma fille à moi, ma Daisy, ma petite sauvage agitée. J'avais marché de long en large pendant des heures avec elle dans les premiers mois de sa vie en soufflant des mots apaisants dans la minuscule volute de son oreille, en répétant et répétant encore son prénom si musical jusqu'à ce que je sente la tension de son torse et de ses jambes se dénouer contre moi. Je n'avais eu qu'un seul enfant, et ce n'avait pas été facile. Et Lola en avait deux. Et maman en avait eu deux. Quand Lola émergea de la chambre, elle s'arrêta sur le seuil et sourit d'un sourire énigmatique. Je me demandai si Pete-aux-Interjections-Explosives avait demandé pardon et provoqué ce sourire, ou si j'avais l'air ridicule avec dans mes bras un Simon qui maintenant hurlait. Avant de reprendre ses deux fardeaux, un sur chaque bras, et de s'en retourner à pas lourds sur la pelouse vers son mari dessoûlé et penaud, Lola déclara, laconique : "Ça ne change jamais. C'est toujours pareil. Tu croirais que j'en prendrais de la graine, hein ? Ça lui a fait un choc, pourtant, que je ne sois pas à la maison, il a eu peur. Merci, Mia."

Bonne vieille mama Mia, couchée toute seule dans ce grand lit de roi aux vastes espaces vierges, une étendue de draps blancs qu'elle emplit de discours intérieurs et de souvenirs, un tourbillon de mots, de pensées, de douleurs et de chagrins. Mia, mère de Daisy. Mia, mère d'abandon. Ci-devant épouse de Boris. *Mais quel dur changement maintenant, toi parti.* O Milton dans la tête. O Muse. O Mia, nigaude rhapsodique, bimbo chialeuse, ne languis plus ! Enroule tes ennuis, essuie tes meurtrissures, envoie balader tes chaussures et chante pour toi-même quelque chanson sotte, toi qui navigues sans roi sur cette grande goélette de lit, pas de reine de pacotille pour toi, Barde à la Face Rieuse, mais un roi.

Jeudi après-midi, Boris écrivit ce qui suit. *Explication de texte incluse** :

Mia,

C'est terminé avec *[vrai nom d'objet aimé français]*. J'habite au Roosevelt.

Depuis deux semaines, j'ai plus réfléchi à ma vie que je ne l'avais jamais fait. Ç'a été une période noire pour moi. J'ai même appelé Bob *[ami psychiatre, chercheur à Rockefeller. Le* même, *ici, illustre bien les litotes radicales dont B. I. est capable. Il a toujours résisté avec obstination et véhémence à toute espèce d'intervention psychothérapeutique. Appeler Bob suggère désespoir]*. Il m'est devenu évident que j'ai agi de manière précipitée afin d'échapper à certaines parties de moi-même, des parties de mon passé, et que tu as souffert à cause de cela. *[Lire : mère, père, Stefan, et n'oublions pas que Boris est un scientifique. Sa prose n'a guère le pied léger. Il semble que cela fasse partie du métier.]* Quand nous étions ensemble, *[vrai nom de jeune enchanteresse francophone]* et moi, je me surprenais à beaucoup parler de toi. Comme tu peux le penser, ça n'était pas très bien venu. Elle était agacée aussi par mes habitudes quotidiennes, ou plutôt leur absence. *[Lire : mégots de cigares amoncelés dans cendriers, derniers articles lus dans* Nature, Science, Brain, Genomics *et* Genetics Weekly *empilés sur toutes les surfaces planes de l'appartement, vêtements abandonnés sur le plancher. Lire aussi : en dépit de trois post-docs, se déclare incapable de maîtriser la technologie du lave-vaisselle, de la machine à laver, ou du sèche-linge.]* J'ai fini par la voir comme quelqu'un que j'avais idéalisé de loin, et je soupçonne qu'elle avait fait la même chose en ce qui me concerne. *[L'irréel a cessé d'occlure le réel.]* Travailler ensemble et vivre ensemble sont deux choses différentes. *[Tu peux le dire, mon frère.]* J'aimerais te voir, Mia, et te parler. Tu m'as manqué. Je dîne avec Bea ce soir.

Boris.

J'en conclus que la réalité devait coïncider avec A, B ou D. C et X semblaient l'un et l'autre avoir été éliminés.

Si cette petite épître vous paraît inadéquatement chargée d'émotion à la lumière de ce qui est arrivé, je ne saurais vous donner tort, mais bien sûr vous n'avez pas vécu avec cet homme pendant trente ans. Boris est d'une honnêteté scrupuleuse. Je sais que chacun des mots qu'il a écrits était à la fois réfléchi et sincère, et je sais aussi que l'individu avait tendance à se comporter avec une certaine raideur. Chez certaines personnes, c'est là l'indication d'une véritable absence de sentiment en profondeur, mais tel n'était pas le cas chez Boris. La lettre entière s'articule sur trois phrases : “Ç'a été une période noire pour moi”, “J'ai même appelé Bob” et “Tu m'as manqué”.

Boris, répondis-je. Tu m'as manqué, toi aussi. Ta lettre ne dit pas clairement, toutefois, qui a quitté qui. Tu peux comprendre que, de mon point de vue, c'est important. Si la Pause t'a jeté à la rue, et si ce geste t'a amené à reconsidérer notre couple, c'est très différent de l'alternative selon laquelle tu aurais décidé de la quitter, après avoir reconsidéré ta relation avec elle à cause de ta relation antérieure avec moi. Ces deux choses étant encore différentes d'une décision mutuelle de vous séparer. Mia.

(Si lui n'allait pas jusqu'à écrire "je t'embrasse", je n'irais certainement pas m'abaisser à utiliser ces mots diaboliquement retors.)

C'est généralement d'un coup que la tension monte. De l'animation dans un coin a souvent pour reflet un brouhaha similaire dans un autre. Il n'y a là ni rime ni raison. Corrélation n'est pas cause. Ce n'est que "la musique du hasard", ainsi que l'a formulé un éminent romancier américain. A de longues périodes paisibles où il ne se passe rien succèdent soudain des actions en rafales, et c'est ainsi que, le lendemain même de la tapageuse sortie de scène de Pete plantant là sa femme et ses enfants, un autre départ également dramatique avait lieu à Rolling Meadows, comme je le découvris lorsque je rendis à ma mère ma visite quotidienne. Regina s'était rendue à l'institut de beauté pour faire coiffer ses longs cheveux "par un professionnel", avait fait ses valises (deux), avait appelé les trois Cygnes pour leur annoncer qu'elle ne pouvait plus supporter son incarcération dans cet Asile et puis, après avoir claqué la porte de son appartement, était partie à vive allure dans le couloir (ou à la plus vive allure possible pour Regina avec sa jambe fragile). Ma mère et Peg (Abigail n'était pas bien) avaient suivi la fugitive jusqu'à la porte d'entrée, où elles lui avaient fait subir un interrogatoire sur ce qu'au nom du ciel pouvaient bien être ses intentions. Ses trois filles lui avaient conseillé de rester. Elle en avait fini avec Nigel, n'est-ce pas, après l'histoire de la montre en or et de la plantureuse barmaid ? En quelques secondes, elles arrivèrent à la conclusion que Regina n'avait pas la moindre idée d'où elle allait. Sa fuite n'était que fuite, pure fuite sans destination. En outre, elle avait péroré longuement à propos du Dr Westerberg qui, prétendait-elle, l'avait menacée, et elle affirmait que si elle ne "prenait pas sa liberté" elle était convaincue qu'il allait "la lui prendre". Au bout d'un quart d'heure, les cajoleries de ma mère et de Peg avaient ramené Regina chez elle. Une crise de larme avait suivi mais, à la fin, elle avait paru résignée à son sort et avait promis à ses amies de rester où elle était.

Chapitre 2. Deux heures à peine avant mon arrivée, ma mère avait frappé à la porte de Regina pour voir dans quel état d'esprit elle se trouvait. Regina avait refusé de la laisser entrer. Ce n'était pas tout : elle affirmait avoir poussé ses meubles contre la porte en guise de barricade contre les ennemis, Westerberg en particulier. En me racontant cela, ma mère hochait tristement la tête. Je ne pouvais que compatir. Quand survient la paranoïa, il ne sert pas à grand-chose de dire à la personne paranoïaque que sa peur est infondée. Je comprenais. Mon cerveau aussi avait craqué. Et, donc, après avoir tenté de raisonner sa déraisonnable amie, ma mère était allée trouver l'infirmière pour rapporter ce qui se passait au numéro 2706 et l'équipe médicale avait été appelée, y compris Westerberg le diabolique, la porte avait été déverrouillée et les meubles écartés du seuil, après quoi Regina elle-même avait été emmenée dans un hôpital de Minneapolis pour "des examens".

Lorsqu'elle eut fini cette histoire, le regard de ma mère semblait me passer au travers. Elle avait l'air triste. La tristesse nous poursuivait toutes, apparemment. J'étais assise près d'elle, et je lui pris la main mais ne dis rien.

"Je ne crois pas qu'elle reviendra, dit ma mère. Elle ne reviendra pas ici, en tout cas."

Je pressai les doigts minces de ma mère et elle pressa les miens en retour. Par la fenêtre, je vis un rouge-gorge se poser sur un banc dans la cour.

“Elle avait du cran”, dit ma mère. Je notai l’usage du temps passé.

Encore un rouge-gorge. Une paire.

Ma mère se mit à parler de Harry. Toutes les pertes ramenaient à Harry. Elle avait souvent parlé de lui mais, cette fois, elle dit : “Je me demande ce qui me serait arrivé si Harry n’était pas mort. Je me demande en quoi j’aurais été différente.” Elle me raconta ce que je savais déjà, qu’après la mort de son frère elle avait décidé d’être parfaite pour ses parents, de ne jamais leur causer le moindre chagrin, plus jamais, qu’elle avait fait de tels efforts, mais que ça n’avait pas marché. Et puis elle dit ce qu’elle n’avait encore jamais dit, d’une voix à peine audible : “Parfois je me demande s’ils auraient préféré que ce fût moi.

— Maman”, protestai-je.

Elle n’y prêta pas attention et continua de parler. Elle rêvait encore de Harry, dit-elle, et ce n’étaient pas toujours des rêves agréables. Elle trouvait son corps gisant dans l’appartement quelque part derrière une bibliothèque ou un fauteuil, et elle n’arrivait pas à comprendre pourquoi il n’était pas dans sa tombe à Boston. Une fois, dans un rêve, son père lui était apparu et avait demandé à savoir ce qu’elle avait fait de Harry. Quand nous étions petites, Bea et moi, dit-elle, elle avait des périodes de terreur à l’idée que quelque chose nous enlève à elle, maladie ou accident. “J’aurais voulu vous protéger de tous les maux possibles. Je le voudrais encore, mais ça ne marche pas, n’est-ce pas ?

— Non, dis-je, ça ne marche pas.”

La mélancolie de ma mère ne dura pas, toutefois. Je lui racontai que Boris avait repris contact, ce qui la réjouit et l’inquiéta en même temps, et nous envisageâmes plusieurs dénouements possibles et discutâmes de ce que je voulais de mon mari, et je m'aperçus que je ne le savais pas exactement, et puis nous passâmes à la vie de comédienne de Daisy et à la précarité de tout cela mais, Dieu, que la petite était douée, après tout, et puis Bea téléphona pendant que j'étais encore là et j'écoutai ma mère qui riait à quelque mot d'esprit de ma sœur, et pendant le dîner elle rit à nouveau, de bon cœur, à l'un des miens. Elle me serra fort dans ses bras quand nous nous séparâmes et je sentis que sa tristesse avait été dissipée, pas définitivement, bien sûr, mais pour ce soir-là. Le Harry de douze ans serait toujours là, fantôme de l'enfance de maman, image en creux des espoirs de ses parents et de ses remords d'avoir survécu. J'imaginais ma mère, à l'âge de six ans, telle que je l'avais vue sur une vieille photographie. Elle a les cheveux roux. Bien qu'il soit impossible de voir la couleur en noir et blanc, j'ajoute mentalement la rousseur. La petite Laura est debout à côté de Harry, qui la dépasse d'une tête. Tous deux sont vêtus de costumes marins blancs aux bordures bleues. Aucun des deux enfants ne sourit, mais c'est le visage de ma mère qui m'intéresse. Il se trouve que c'est elle qui regarde droit devant, vers l'avenir.

Ci-dessous, sans commentaire, un dialogue épistolaire rendu possible par la technologie galopante du XXIe siècle, qui eut lieu le lendemain entre B. I. et M. F. à propos des scénarios A, B ou D, et cætera.

> B. I. : Mia, est-ce vraiment important, ce qui est arrivé ? Est-ce qu'il ne suffit pas que ce soit fini entre nous, et que j'aie envie de te voir ?
> M. F. : Si l'histoire était inversée, si j'étais toi et toi, moi, ne serait-ce pas important pour toi ? C'est de l'état de ton cœur qu'il s'agit, mon vieil ami. Cœur

ébréché par rejet *à la française**, malheureux et étonnamment sans ressource dans la solitude, Epoux décide qu'il pourrait être préférable d'entamer procédure de réconciliation avec Epouse Fidèle ; ou bien, se voyant engagé dans voie erronée, Epoux comprend sa folie (ha, ha, ha) et a révélation : Vieille Epouse Usée a meilleure apparence vue de Manhattan.

B. I. : Pouvons-nous faire l'économie de l'ironie amère ?

M. F. : Comment diable t'imagines-tu que j'aurais pu tenir le coup sans cette ironie ? Je serais restée folle.

B. I. : C'est elle qui a rompu. Mais tout était déjà cassé.

M. F. : J'ai été cassée, et tu es venu à l'hôpital une fois.

B. I. : Ils ne voulaient plus que je vienne. J'ai essayé de venir, mais ils m'ont refusé.

M. F. : Que veux-tu de moi ?

B. I. : Un espoir.

Je ne pus répondre à "un espoir" que le jour suivant. Le retournement dont j'avais rêvé s'était produit, et je me sentais aussi dure qu'une plaque de schiste. Ma réponse au Grand B. arriva le lendemain matin : "Fais-moi la cour."

Et lui, dans un style éminemment romantique, répondit : "OK."

M. Personne n'avait plus écrit depuis quelque temps et je commençai à m'en inquiéter. Nous nous étions renvoyé des balles lobées au sujet du jeu, c'est-à-dire que nous jouions avec le jeu. Il m'avait lancé le premier une balle rapide, le jeu sans limites du logos, nous tournons en rond sans cesse et sans rien résoudre, et tout est dans le texte, le faire et le défaire, sur quoi je lui renvoyai *Remémoration, répétition et perlaboration*, de Freud, dans lequel l'estimé docteur nous explique que la transférence, cette zone peuplée de fantômes entre analyste et patient, ressemble à un *Spielplatz*, un terrain de jeu, quelque part entre maladie et vraie vie, où l'un peut devenir l'autre, et là-dessus il répliqua avec une superbe citation de la Grande Montagne en personne : "Si quelqu'un me dit, que c'est avillir les muses, de s'en servir seulement de jouet, et de passe-temps, il ne sçait pas comme moy, combien vaut le plaisir, le jeu et le passetemps : à peine que je ne die toute autre fin estre ridicule." Je ripostai avec Winnicott et Vygotsky, ce dernier mort depuis 1934 mais pour moi un tout nouvel amour, et après cela mon interlocuteur fantôme devint silencieux.

Je trouvais que trop de temps avait passé. "Tout va bien ? Je pense à toi, Mia."

Le club de lecture, c'est très important. Il en pousse partout, comme des champignons, et c'est une forme culturelle presque entièrement dominée par des femmes. En réalité, la lecture de fiction est souvent considérée comme une activité féminine, de nos jours. Beaucoup de femmes lisent de la fiction. La plupart des hommes, non. Les femmes lisent des fictions écrites par des femmes et par des hommes. La plupart des hommes, non. Si un homme ouvre un roman, il aime avoir sur la couverture un nom masculin ; cela a quelque chose de rassurant. On ne sait jamais ce qui pourrait arriver à cet appareil génital externe si l'on s'immergeait dans des faits et gestes imaginaires concoctés par quelqu'un qui a le sien à l'intérieur. En outre, les hommes se vantent volontiers de négliger la fiction : "Je ne lis pas de romans, mais ma femme en lit." De l'imagination littéraire contemporaine émane, semble-t-il, un parfum nettement féminin. Rappelez-vous Sabbatini : nous autres femmes, nous sommes douées pour le verbe. Mais à dire vrai, nous avons été consommatrices enthousiastes du roman dès sa naissance, vers la fin du XVIIe siècle, et, à cette époque, lire des romans vous avait un arôme de clandestinité. La délicate intelligence féminine, vous vous en souviendrez à la suite de fulminations antérieures dans ce même ouvrage que voici, pourrait aisément souffrir d'avoir été exposée à la littérature, tout spécialement au roman, avec ses histoires de passion et de trahison, ses moines fous et ses libertins, ses seins palpitants et ses Valmont, ses ravageurs et ses ravagés. En tant que passe-temps pour les demoiselles, la lecture de romans faisait monter le rose aux joues par son caractère *risqué**. La logique : lire est une activité privée, souvent exercée derrière des portes fermées. Une jeune dame pourrait se retirer avec un livre, pourrait même l'emporter dans son boudoir et là, étendue sur ses draps de soie, tandis qu'elle s'imbibe des passions et frissons manufacturés par la plume d'un écrivain polisson, l'une de ses mains, pas absolument indispensable pour tenir le petit volume, pourrait s'égarer. Ce que l'on craignait, en bref, c'était la lecture à une main.

Le samedi à cinq heures de l'après-midi, le club de lecture de Rolling Meadows se réunit dans la bibliothèque autour de petits sandwichs et de verres de vin plus petits encore afin de discuter de la romancière Jane Austen, auteur de *Persuasion*, observatrice ironique et disséqueuse précise des sentiments humains, styliste céleste, et auteur qui régla leur compte aux moines pervers mais conserva sa propre conception de la vertu récompensée. Aimée autant que détestée, elle a maintenu ses critiques en haleine. "Une bonne bibliothèque est une bibliothèque qui ne contient pas d'ouvrage de Jane Austen, a dit Mark Twain, enfant chéri de la littérature américaine, même si elle ne contient aucun autre livre." Carlyle qualifiait ses livres de "triste camelote". Aujourd'hui encore, on lui reproche d'être "étroite" et "claustrophobe", et on la relègue au statut d'écrivain pour les femmes. La vie en province, indigne d'observation ? Les douleurs des femmes, sans importance ? Ça peut aller quand c'est Flaubert, bien entendu. Pitié pour les idiots.

Vous vous rappelez peut-être que l'on m'avait demandé d'introduire la séance. Moyennant quelques coupures ici et là et une domestication ramenant ma prose de l'incendiaire à l'acceptable, plus un baratin additionnel sur la Grande Jane vacillant entre deux époques littéraires et inventant une nouvelle voie pour le roman, le paragraphe ci-dessus vous donne une idée de ce que j'ai dit, que nous ne prendrons donc pas la peine de répéter ici.

Les PARTICIPANTES : les trois Cygnes encore présents, ma mère, armée d'un exemplaire abondamment annoté du livre en question, Abigail, plus cassée que jamais et d'une extrême fragilité, portant un chemisier brodé avec un soin minutieux de figures de dragons, et la douce et sympathique Peg, avec son côté positif en évidence ; et aussi trois autres dames nouvelles pour moi : Betty Petersen, menton pointu et regard plus pointu encore, avait arrondi les fins de mois de la famille en rédigeant des textes humoristiques pour un éditeur de cartes de vœux, Rosemary Snesrud, ex-professeur d'anglais en quatrième, et Dorothy Glad, veuve du pasteur Glad, qui avait un jour présidé la petite église morave d'Apple Street.

Le DÉCOR : deux canapés, face à face, tapissés d'un inquiétant imprimé vert et violet de feuillages agressifs ; deux fauteuils, d'aspect nettement moins déchaîné, également posés l'un en face de l'autre, le tout entourant une longue table basse ovale avec un pied instable, cause d'embardées de temps à autre, en cas de perturbation particulière. Trois fenêtres dans mur du fond avec vue sur le jardin et la gloriette. Etagères garnies de livres, la plupart gisant d'un air las ou appuyés avec désinvolture contre un élément vertical, mais en trop petit nombre pour mériter l'appellation de *bibliothèque*. Silence dans l'ensemble du bâtiment, interrompu seulement par le grincement de déambulateurs dans les couloirs voisins et une toux occasionnelle.

La CONTROVERSE : la jeune Anne Elliot aurait-elle dû se laisser persuader par son père vain, sot et libertin, sa vaine et froide sœur Elisabeth et sa bonne vieille amie Lady Russell, gentille et bien intentionnée mais pouvant fort bien être dans l'erreur, de rompre avec le capitaine Wentworth, dont elle était follement amoureuse, parce qu'il n'avait que des perspectives, pas de fortune ? Ainsi que vous l'avez peut-être observé, les membres de clubs de lecture considèrent en général les personnages des livres exactement comme ils considèrent les personnages en dehors des livres. Le fait que les uns soient faits de l'alphabet et les autres de muscles, de tissus et d'os ne les concerne pas. Vous pourriez croire que je désapprouve cela, moi qui ai subi les procès continuels de la théorie littéraire, qui ai pris le virage linguistique, été témoin de la mort de l'auteur et ai survécu je ne sais comment à la *fin de l'homme**, qui ai vécu la vie herméneutique, ai sondé les apories, ai été intriguée par *différance** et me suis fait du souci à propos de l'opposition *sein/Sein*, sans parler de ce Français convoluté avec son *a* minuscule opposé au grand *A*, et d'une horde additionnelle de nœuds et de plis intellectuels qu'il m'a fallu dénouer et aplanir durant le cours de mon existence, mais vous vous tromperiez. Un livre est une collaboration entre celui ou celle qui lit et ce qui est lu et, dans le meilleur des cas, cette rencontre est une histoire d'amour comme une autre. Revenons à la controverse en cours :

Peg voit le côté positif des choses. Puisque Anne finit par épouser Wentworth, tout va bien.

Abigail proteste énergiquement : "Des années gâchées ! Qui a le temps de gâcher des années ?" Déclaration catégorique suivie d'un affaissement de la table vers la droite. Un verre glisse. Intercepté par Rosemary Snesrud. Ne tombe pas.

Silence inconfortable, en rapport avec le gâchis, mon propre silence parmi les autres silences, un silence qui s'interroge sur les années gâchées, sur le non-fait, le non-écrit.

Dorothy Glad injecte possibilité extralittéraire pas-du-tout-heureuse : "Il aurait pu faire naufrage ! Alors elle n'aurait jamais trouvé l'amour."

Je suggère qu'on s'en tienne au texte, tel qu'il est écrit, sans ce naufrage-là.

Ma mère saisit balance imaginaire et pèse devoir familial au regard de passion. Imaginez la douleur de s'aliéner sa famille. Cela aussi doit être pris en compte. Il n'existait pas de solution facile pour Anne. Pour Anne, orpheline de mère, rompre avec Lady Russell revenait à rompre avec sa mère.

Rosemary S. défend *ma* mère. Selon la philosophie snesrudienne, les décisions, dans la vie, sont "épineuses".

Betty Petersen introduit peu recommandable cousin Elliot destiné à hériter du titre familial : "Elle risquait de se marier à ce serpent caché dans l'herbe si son amie, machinette, ne l'avait pas mise au parfum. Lady Russell était complètement sous le charme."

Abigail, irritation croissante, maintient qu'à force de piétiner ses désirs on se déforme. Elle prononce déclaration énergique accompagnée de faible coup sur plateau de la table. "Cela mutile l'âme !" La table acquiesce d'une oscillation, mais Peg émet de petits bruits de langue désapprobateurs. Parler de mutilation est une menace pour les côtés positifs quels qu'ils soient.

Ma mère regarde discrètement son amie Abigail, comprenant que ce n'est pas l'âme d'Anne qui a été mutilée. Abigail tremble. Je remarque combien ses bras sont squelettiques sous son chemisier aux dragons. Je suis prise de l'inquiétude irrationnelle que son émotion ébranle ses os fragiles au point de les rompre, et je détourne la conversation vers les hommes et les femmes et la question de la fidélité, question chère à mon cœur. Que pensent les participantes de la théorie avancée par Anne à propos des femmes et des hommes lors de sa conversation avec le capitaine Harville ?

> "Oui, il est certain que nous ne vous oublions pas aussi rapidement que vous nous oubliez. Tel est, peut-être, notre destin plus que notre mérite. Nous vivons à la maison, au calme, confinées, en proie à nos sentiments. Vous êtes obligés de vous dépenser. Vous avez toujours une profession, des activités, des affaires d'une espèce ou d'une autre pour vous ramener immédiatement dans le monde, et les occupations et changements continuels ont tôt fait d'affaiblir vos impressions."

A part moi, il n'y avait pas dans la pièce une femme de moins de soixante-quinze ans. Les deux enseignantes, trois femmes au foyer et une humoriste occasionnelle pour cartes de vœux avaient beau être nées au Pays de la Chance, la chance dépendait beaucoup du rôle que chacune avait eu à jouer. Je me rappelais les paroles de ma mère : "J'avais toujours pensé continuer au moins jusqu'à la maîtrise, mais on avait si peu de temps et pas assez d'argent." Une image soudaine me revenait de ma mère à la table de la cuisine avec son livre de grammaire française, remuant les lèvres en se répétant silencieusement les conjugaisons des verbes.

Harville sort l'ARTILLERIE LOURDE pour réfuter la thèse d'Anne, avec néanmoins la plus grande civilité :

> "Je ne crois pas avoir, de ma vie, ouvert un livre qui n'eût quelque chose à dire de l'inconstance de la femme. Chansons et proverbes, tous parlent de la versatilité féminine. Mais peut-être me direz-vous que leurs auteurs sont des hommes ?
>
> — Peut-être vous le dirai-je. [...] Oui, oui, s'il vous plaît, pas de référence à des exemples tirés de livres. Les hommes ont eu en tout l'avantage sur nous pour raconter leur propre histoire. L'éducation leur a été donnée à un degré tellement supérieur ; la plume est entre leurs mains. Je ne permettrai pas aux livres de prouver quoi que ce soit."

Bien sûr, la plume qui a écrit ces mots se trouvait dans la main d'Austen, et quelle main élégante c'était là. L'écriture de cette femme a toute la clarté et la précision de sa prose. Et la plume, pour ainsi dire, Cher Lecteur, est à présent dans ma main, et je revendique l'avantage, je le prends pour moi-même, car vous remarquerez que le mot écrit dissimule le corps de celui qui écrit. Pour ce que vous en savez, je pourrais très bien être un HOMME déguisé. Peu probable, dites-vous, avec tous ces propos féministes voltigeant ici, là et partout, mais pouvez-vous en être sûrs ? Daisy a eu un professeur féministe à Sarah-Lawrence, indiscutablement un homme, marié, qui plus est, avec des enfants et un york, et qui se déchaînait pour les femmes, en preux défenseur du deuxième sexe. Mia pourrait très bien être en réalité Morton. Moi, votre narratrice personnelle privée, je pourrais porter un masque, un pseudonyme.

Mais revenons à notre histoire. Pas de surprise, les femmes de Rolling Meadows sont dans le camp d'Anne. Même notre Peg Toujours Positive admet qu'il y a eu des moments, chez elle avec ses six "merveilleux enfants", où elle aspirait à quelque diversion, où *elle* était la proie de *ses* sentiments, et alors, en un instant de révélation stupéfiante, l'optimiste en résidence avoue qu'il y a eu des jours où elle se sentait "sacrément lasse et triste" et que, selon son expérience, beaucoup plus d'hommes ont le don d'oublier les femmes que les femmes n'ont celui d'oublier les hommes. N'étaient-ce pas eux qui faisaient volte-face et se remariaient quelques mois à peine après la "disparition" de leurs épouses ? (Je m'abstins d'observer que Boris n'avait même pas attendu que je meure.)

Betty propose citation humoristique : "Je suis femme. Je suis invincible. Je n'en peux plus !"

Rires.

Rosemary constate l'exception à la règle qui veut que les femmes attendent, se languissent, espèrent : Regina.

Petits rires.

Ma mère vient à la rescousse de sa consœur Cygne : "Elle a pris du bon temps, tout de même !"

Abigail hoche la tête, contemple ma mère avec affection et déclare d'une voix sonore, quoique rauque : "Qui oserait dire que nous n'aurions pas toutes dû prendre davantage de bon temps ?"

Qui oserait le dire ? Sûrement pas moi. Ni ma mère, ni Dorothy, ni Betty, ni Rosemary, ni même Peg, bien que celle-ci proclame avec entrain qu'elles en prennent, du bon temps, hein, pas vrai, là, à cet instant précis ? Et, en vérité, un sentiment de *carpe diem* illumine la pièce entière, sinon littéralement, du moins au figuré.

Après cela, il y eut quelques hochements de tête satisfaits, quelques gorgées de vin dégustées en silence et quelques digressions à propos du film qui allait être projeté à sept heures dans la salle de cinéma, *New York-Miami*, suivies de quelque attendrissement nostalgique sur Clark Gable et d'échanges relatifs aux films qui étaient tellement meilleurs autrefois, misère de nous, qu'est-il donc arrivé ? Je suggérai que les studios hollywoodiens tournaient désormais exclusivement à l'intention des gamins de quatorze ans, public à la sophistication limitée, ce qui avait fait disparaître des films jusqu'à l'espoir d'un dialogue fringant. Pets, vomissures et sperme semblaient en avoir pris la place.

Je m'assis à côté d'Abigail et gardai sa main dans la mienne pendant un petit moment. Elle me demanda de venir la voir. L'invitation n'était pas anodine. Abigail avait une affaire urgente à discuter, et il fallait que ce soit dans les tout prochains jours. Je promis, et elle entama la longue et pénible opération consistant à tirer vers elle son déambulateur, à se mettre debout et enfin à s'en aller, à tout petits pas précautionneux, vers son appartement.

En quelques minutes, le club de lecture avait levé la séance. Et cela sans me laisser le temps de dire qu'il n'existe aucun sujet humain étranger au domaine de la littérature. Nulle immersion dans l'histoire de la philosophie ne m'est nécessaire pour affirmer que l'art ne connaît PAS DE RÈGLES, et que le sol se dérobe sous les pieds des Sots et des Bouffons qui croient à l'existence de règles, de lois et de territoires interdits, et que rien ne justifie une hiérarchie qui déclare "large" supérieur à "étroit" ou "masculin" plus désirable que "féminin". Pour qui est sans préjugés, il n'est en art nul sentiment exclu de l'expression et nulle histoire qu'on ne puisse raconter. L'enchantement réside dans le sentiment et dans la façon de raconter, voilà tout.

Message de Daisy :

> Salut, maman. Le dîner avec papa s'est bien passé. Il semble aller un peu mieux. Il s'était rasé, au moins. Je crois qu'il est vraiment, vraiment embêté. Il a dit qu'il espérait que tu saurais voir son "interlude" pour ce que c'était. Il a aussi parlé de "démence temporaire". Je lui ai rappelé que c'est ce que tu as eu, et il a dit que, peut-être, lui aussi. Maman, je crois qu'il est sincère. Ç'a été affreux pour moi que vous soyez en guerre, tu le sais.
>
> Bisous, Daisy.

Et pourtant, je ne pouvais pas rejoindre d'un bond le père de Daisy. En méditant sur notre histoire, je compris qu'on pouvait la considérer sous de multiples perspectives. L'adultère est à la fois ordinaire et pardonnable, de même que la fureur de l'épouse trahie. Nous ne sommes pas détachés des choses de ce monde, n'est-ce pas ? J'avais subi ma propre farce à la française, avec en vedette mon volage inconstant de mari. N'était-il pas temps "d'oublier et de pardonner", selon l'increvable cliché ? Pardonner est une chose, oublier en est une autre. Je ne pouvais pas provoquer l'amnésie. Cela signifierait quoi, de vivre avec Boris et le souvenir de la Pause ou Interlude ? Nos relations seraient-elles désormais différentes ? Quelque chose changerait-il ? Peut-on changer ? Souhaitais-je que tout soit comme avant ? Etait-ce possible ? Jamais je n'oublierais l'hôpital. TESSONS DE CERVEAU. Pour le meilleur et pour le pire, nous nous étions si bien entremêlés, Boris et moi, que son départ m'avait rompue, m'avait envoyée hurlante à l'asile. Et la peur que j'avais ressentie n'était-elle pas une peur ancienne, celle d'être rejetée, d'être désapprouvée, de n'être plus digne d'être aimée, une peur plus ancienne sans doute que ma mémoire explicite ? Pendant des mois, je m'étais noyée dans la colère et le chagrin mais au cours de l'été mon état d'esprit avait progressivement, sans que j'en eusse conscience, commencé à changer. Le Dr S. l'avait remarqué. (Comme elle me manquait, celle-là, soit dit en passant.) En lisant la lettre de Daisy je sentis ces pensées subliminales, non encore articulées, qui montaient, formaient des phrases et se logeaient solidement quelque part entre mes tempes : *Une part de moi s'est faite à l'idée que Boris s'en était allé pour toujours.* Nul n'aurait pu être plus choqué que moi par cette révélation.

Et maintenant, que le rideau se lève, le lundi suivant, sur sept gamines mal à l'aise et une poétesse luttant pour dissimuler sa propre anxiété, assises autour d'une table au Cercle artistique. Une torpeur semble avoir pris possession des sept jeunes corps, comme si un gaz puissant quoique invisible avait été lâché dans la pièce et les avait toutes prestement endormies. Peyton avait croisé les bras sur le plateau de la table et posé la tête dessus. Joan et Nikki, assises côte à côte comme toujours, restaient figées dans un silence lourd, paupières soulignées de noir baissées. Jessie, les coudes sur la table, se soutenait le menton à deux mains, le visage vide de toute expression. Emma, Ashley et Alice paraissaient inertes d'épuisement.

J'observai chacune d'entre elles pendant un moment et puis, sur une impulsion soudaine, je me mis à chanter. Je leur chantai la berceuse de Brahms, en allemand : *"Guten Abend, gute Nacht, mit Rosen bedacht..."* Je n'ai pas une jolie voix mais j'ai de l'oreille, et je laissai porter le vibrato aux limites de l'absurde. La surprise et la confusion qu'exprimaient leurs visages provoquèrent mon rire. Elles ne rirent pas avec moi mais, au moins, être ainsi déconcertées les avait réveillées. Le moment était venu pour moi de parler, et c'est ce que je fis. En substance, j'expliquai qu'une seule histoire à sept personnages peut être aussi sept histoires, en fonction de l'identité du narrateur. Chaque personnage considérera les mêmes événements à sa manière propre et aura pour ses actes des motivations peu ou prou différentes. Notre tâche consistait à donner son sens à une histoire vraie. Je lui avais donné un titre : *Le Bal des sorcières.* Un murmure général inarticulé accueillit ce propos. Nous allions nous retrouver chaque jour de cette semaine en compensation des cours qui n'avaient pas eu lieu. Aujourd'hui, chacune lirait son texte et nous en parlerions mais, pendant les quatre prochains jours, nous allions échanger nos places et écrire l'histoire du point de vue de quelqu'un d'autre. Jessie deviendrait Emma, par exemple, et Joan, Alice, et Jessie, Ashley et moi, Nikki, et ainsi de suite. Yeux écarquillés, regards inquiets échangés de part et d'autre de la table. A la fin de la semaine, nous aurions un récit dont la classe entière serait l'auteur. L'astuce était que nous devrions nous mettre d'accord, plus ou moins, sur le contenu.

Pour être honnête, je ne savais pas du tout si cela pouvait marcher. Ce n'était pas sans risque. Note : l'expérience de psychologie aujourd'hui célèbre, pratiquée à Stanford en 1971. Un groupe de jeunes hommes, tous étudiants à l'université, jouèrent les rôles de prisonniers ou de gardiens. Au bout de quelques heures, les gardiens se mirent à tourmenter leurs prisonniers et l'expérience fut stoppée. Le théâtre de la cruauté devenu réalité ? L'interprétation devient la personne ? A quel point les sept étaient-elles malléables ?

Je commençai par un résumé succinct de mon expérience : mes soupçons durant les cours, mon incompréhension face au kleenex et la conscience vague qui m'était venue de quelque complot en train de mijoter. Je parlai aussi de ma propre implication dans une histoire similaire quand j'étais petite. Je ne précisai pas quel rôle avait été le mien. A vous, ami inconnu, sera épargné en grande partie l'ennui d'une prose de jeunes adolescentes ; elle est pire que leur poésie. (Pas une des gamines ne fit le choix de décrire en vers le scandale des sorcières.) Autant vous dire que les narrations maladroites et souvent agrammaticales n'étaient pas très harmonieuses. Après chaque lecture, les refrains "Je n'ai jamais dit ça !", "C'était ton idée, pas la mienne !", "Ce n'était pas du tout comme ça !" retentissaient à grands cris. Certaines des prises de bec étaient sans importance, quand, où et qui. "C'est toi qui as mis le grillon mort dans la recette, pas moi !" "Demande à ma mère. Elle t'a vue sortir de la salle de bains avec du sang qui coulait sur ton bras, tu te souviens ?" Néanmoins, les justifications du complot étaient récurrentes : elles avaient toutes commencé par aimer Alice, et puis, avec le temps, celle-ci avait affiché des différences qui ne leur avaient pas plu. Elle avait été le "chouchou" de Mr. Abbot au cours d'histoire et elle était toujours en train de lever la main pour répondre. Elle achetait ses vêtements à Minneapolis *dans un grand magasin*, pas dans la galerie marchande de Bonden. Elle lisait tout le temps, ce qui était "ennuyeux". Le synopsis d'Ashley mentionnait le fait qu'Alice s'était vu attribuer un des rôles principaux dans la pièce jouée à l'école et qu'après ce "coup de chance", elle s'était métamorphosée en "affreuse snob". Ce qui avait commencé comme "un petit jeu" des sorcières conspiratrices, destiné à les "venger" d'Alice, avait, sans qu'on sache comment, mystérieusement, déraillé tout seul. Il n'y avait pas d'agents dans cette version de l'histoire, seulement des courants d'émotions, fort semblables à des sortilèges, qui avaient poussé et tiré les filles çà et là. Nous avions une expression, Bea et moi, quand nous étions petites, qui décrivait bien semblables actions : "accidentellement exprès". Quand je leur racontai cela, il y eut des sourires penauds à la ronde, sauf évidemment de la part d'Alice, furieusement occupée à examiner la surface de la table.

Elle lut la dernière. En dépit du caractère déplaisant de l'histoire qu'elle avait à raconter, elle s'y était donné un rôle à la Jane Eyre ou David Copperfield, ces orphelins maltraités que j'avais tant aimés quand j'avais son âge, et elle avait travaillé dur à son récit. Si lourdement adjectival et hyperbolique qu'il fût, et non dépourvu d'erreurs de langage ("tortureux" au lieu de "torturé"), celui-ci exprimait à la fois son besoin intense de faire partie du groupe et sa souffrance d'en être exclue. En l'écoutant, je devinai que, si son personnage n'allait pas la rendre plus chère à toutes les affiliées au Club des sorcières, le trouver lui avait fait du bien. La victime faisait bonne figure dans sa version des événements, ne fût-ce que parce qu'Alice avait traité son alter ego selon les conventions "gothiques", avec l'assistance bienvenue de l'orage mémorable qui avait déchiré les cieux pendant que j'étais au lit, cette nuit-là, en juin. Apparemment, alors qu'elles "traînaient" chez Jessie, les autres avaient pris d'un commun accord la décision de ne pas regarder Alice, de ne pas lui répondre quand elle parlait, de se comporter comme si elle était à la fois invisible et inaudible. Au bout d'une demi-heure de ce traitement, notre héroïne s'était enfuie sous une "pluie battante, secouée de sanglots, les cheveux fouettés par le vent" tandis que "les éclairs zébraient le ciel". En arrivant chez elle, cette créature tragique était "trempée jusqu'à la peau et gelée jusqu'aux os" et "claquait des dents comme une folle". Bien qu'elle puisse n'avoir pas apprécié l'interprétation de la *Meidung* par les sorcières, elle avait assurément pris plaisir à la raconter. Alice personnage littéraire exerçait une fonction rédemptrice pour Alice tout court, bientôt élève de cinquième. Son récit s'achevait sur ces mots : "Jamais encore je n'avais connu un désespoir aussi profond, aussi insupportable."

Je ne souris pas. Je me souvenais.

La pauvre Peyton, dont les remords avaient déjà atteint leur plénitude, pleurait et se mouchait.

Jessie ne regardait pas Alice, mais elle s'excusa dans un chuchotement mortifié.

Nikki et Joan se tortillaient, mal à l'aise.

Ashley et Emma demeuraient implacables.

Je les renvoyai chez elles avec leurs devoirs : je donnai Ashley à Alice et vice versa, appariai Peyton et Joan, Nikki et Emma et, puisque sept est impair, je pris pour moi Jessie et elle reçut pour mission d'écrire à la place de la très ignorante prof de poésie.

Boris faisait sa cour.

Mia,

Je n'étais qu'un pauvre imbécile.

Boris.

(Référence : T. R. Devlin, interprété par Cary Grant, à Alicia Huberman, interprétée par Ingrid Bergman, vers la fin des *Enchaînés*. Le héros, si je me souviens bien, est en train, lorsqu'il fait cette déclaration, de descendre l'escalier en portant sa bien-aimée droguée, empoisonnée. Boris et moi avions vu le film au moins sept fois ensemble, et chaque fois B. I. avait été gagné par les larmes devant cette explication succincte du traitement authentiquement affreux que Mr. Devlin avait infligé à la divine Miss Huberman. Je ne fus pas insensible à cette tentative de m'émouvoir. Non, je parlerai sans détour : je fus émue. Remplacer Cary par Boris ou moi par Ingrid ne marcherait jamais. Quand j'imagine mon neuroscientifique à lunettes et un peu bedonnant en train de souffler et gémir en portant versificatrice frisée de cinquante-cinq ans dans énorme escalier hollywoodien, l'illusion disparaît. Mais là n'est pas la question. Nous devons tous nous accorder de temps à autre la fantaisie de nous projeter, une chance de nous vêtir des robes et d'habits de ce qui n'a jamais été et ne sera jamais. Cela donne un peu d'éclat à nos existences ternies et, parfois, nous pouvons choisir un rêve plutôt qu'un autre et, par ce choix, trouver quelque répit à la tristesse ordinaire. Après tout, nous ne pouvons, nul d'entre nous ne peut jamais démêler le nœud des fictions qui composent cette chose incertaine que nous appelons notre moi.)

De Bea, dès qu'elle eut appris la suite des aventures de Boris et Mia :

> N'oublie pas, Baby Huey, que nous faisons tous des conneries.
> Bises, Bea.

De Personne, enfin :

> Calculs rénaux.

Pauvre M. Personne, mon interlocuteur de haut vol, cloué au sol par ces cailloux abominables. Je lui souhaitai une guérison rapide.

J'avais appris à patienter après avoir frappé, le temps qu'Abigail apparaisse à la porte. Mes visites avaient été assez régulières. J'y étais allée seule ou bien avec ma mère, et nous nous étions toutes deux fait du souci pour notre amie depuis sa chute. Elle semblait rapetisser de jour en jour et, pourtant, sa force de caractère restait grande. En fait, ce qui m'attirait en Abigail, c'était sa rigidité. Ce n'est pas là une qualité généralement jugée désirable chez les humains mais, dans son cas, elle semblait s'être développée comme une manière de résister à un génie *Midwestern* particulier de conformisme craintif. Abigail avait cousu, brodé et appliqué son implacable quoique silencieuse insurrection. Je connaissais à présent l'histoire du soldat Gardener. Elle l'avait épousé sur un coup de tête juste avant qu'il ne soit envoyé dans le Pacifique mais, quand il était revenu de la guerre, il avait ramené la guerre avec lui. Tourmenté par des cauchemars, des accès de colère et des crises d'ivrognerie féroce, à en perdre conscience, l'homme qui était rentré chez lui ne ressemblait guère au garçon auquel elle avait fait vœu "d'amour, respect et obéissance", mais aussi, disait-elle, "je ne le connaissais ni d'Eve ni d'Adam, pour commencer". Un jour, à l'immense soulagement d'Abigail, son conjoint avait pris la clé des champs. Un an plus tard, elle avait reçu de l'ex-soldat une lettre de contrition dans laquelle il la priait de venir le rejoindre dans le Milwaukee. Parce qu'à cette seule idée elle se sentait devenir "aussi froide qu'un cube de glace", elle refusa, demanda le divorce, et la maîtresse de dessin vit le jour.

Sa mère lui avait appris à broder, mais ce n'était qu'après sa débâcle conjugale qu'elle avait intégré un groupe pratiquant les travaux d'aiguille et compris qu'elle "avait besoin de faire ça" ; c'est là que sa double vie avait commencé. Au fil des années, elle avait créé un grand nombre d'œuvres, des conventionnelles et des subversives ou, selon son expression, des "vraies" et des "fausses". Les fausses, elle les vendait. Une par une, elle m'avait montré les vraies, et l'étrangeté de son entreprise m'était devenue de plus en plus apparente. Toutes les broderies n'étaient pas malveillantes ou de nature sexuelle. Il y en avait une qui représentait des moustiques délicats, de tailles variées, avec plein de traces de sang ; une figure joyeuse, tout droit sortie d'un livre d'anatomie, organes exposés mais en train de danser ; l'image d'une femme gargantuesque qui mordait un morceau de la lune ; une grande nappe curieusement émouvante, ornée de lingerie féminine : un corset, une culotte bouffante, une chemise, des bas, un collant, un soutien-gorge épais à l'ancienne mode, une gaine avec porte-jarretelles et une nuisette ; et il y avait, brodé en minuscules points de croix sur un coussin, un remarquable portrait qu'elle avait fait, des années auparavant, d'elle-même dans un fauteuil, en train de pleurer. Les larmes étaient des paillettes.

Quand elle ouvrit sa porte, mon amie me parut minuscule. Son tremblement avait atteint la tête et c'était le menton branlant qu'elle se tenait devant moi. Sa tenue était de toute beauté : pantalon noir étroit et chemisier noir couvert de roses rouges. Ses cheveux courts et rares étaient peignés derrière les oreilles et, à travers les verres de ses lunettes étroites, ses yeux me fixaient plus intensément que jamais.

Cet après-midi-là, nous prîmes des dispositions, Abigail et moi. Elle s'installa à l'aise dans son canapé et me parla de sa mort. Elle n'avait personne, sauf une nièce, une femme qui lui était chère mais qui ne comprendrait jamais les amusements. "Elle aura mon argent, ce qu'il y en a." Elle cita alors un vers extrait de mon premier recueil de poèmes : *Nous étions folles de miracles et de bateaux garnis de dentelle.* "C'est nous, ça, Mia, dit-elle. Nous sommes deux petits pois d'une même cosse." Je me sentis flattée, même si cela me forçait à nous voir rondes et vertes dans cette cosse, sur une table de cuisine. Alors, changeant soudain de métaphore, elle passa du végétal au mécanique : "Je suis un réveille-matin, Mia, prêt à se déclencher, et quand ça viendra, ce sera sans retour. Je m'entends faire tic tac." Elle avait tout légalisé dans son testament, dit-elle. Je devais hériter des amusements secrets et en faire ce que je voudrais. Les papiers étaient rangés dans le tiroir supérieur de son petit secrétaire. Je devais le savoir. La clé se trouvait dans le petit œuf en Limoges, et il fallait que je la prenne maintenant et que j'ouvre son tiroir ; elle avait quelque chose à me montrer, une photographie glissée dans une enveloppe en papier kraft, juste sur le dessus.

Deux jeunes femmes en smoking, debout, se tenant par les épaules, souriantes, l'une brune, dont je devinai que ce devait être Abigail, et l'autre blonde. La blonde avait une cigarette à la main droite. Elles avaient l'air gaies, désinvoltes, insouciantes et enviables.

Abigail releva la tête. Et puis elle la hocha. Elle hocha la tête pendant plusieurs secondes avant de parler. "Elle avait le même prénom que ta mère. Elle s'appelait Laura. Je l'aimais. Nous étions à New York. C'était en 1938."

Elle sourit. "Difficile de croire que ce freluquet, c'est moi, hein ?

— Non, dis-je, ce n'est pas du tout difficile."

Quand je l'embrassai avant de partir, je sentis ses os sous le chemisier couvert de roses, pas plus gros que des os de poulet, me sembla-t-il, mon Abigail, qui ne pouvait plus se tenir assise droite, qui avait la tremblote et qui avait jadis aimé une jeune femme nommée Laura à New York en 1938, une femme remarquable, qui avait enseigné l'art aux enfants et était une artiste, une artiste qui connaissait sa Bible. La dernière chose qu'elle m'ait dite, ce fut : "Il descendra comme la pluie sur le gazon, comme les ondées qui arrosent la terre." Psaume LXXII, 6.

Etre l'autre, c'est la danse de l'imagination. Nous ne sommes rien sans elle. Crie-le ! Secoue-toi, frappe des talons, bondis. En cela consistaient ma pédagogie, ma philosophie, mon credo, mon slogan, et les petites avaient essayé. Je peux dire cela en leur faveur. Leurs "je" avaient été brouillés, et elles avaient travaillé dur à découvrir le sens qui tient à un autre rôle, un autre corps, une autre famille, un autre lieu. Avec des succès inégaux mais, cela, il fallait s'y attendre.

Jessie en Mia avait écrit : "J'avais une sorte de pressentiment des problèmes des filles, mais elles ne me racontaient rien. Je me souvenais de mon arrivée en cinquième et des trucs pas clairs qui m'étaient arrivés, mais c'était il y a très, très longtemps…" (Bon, d'accord.)

Peyton en Joan avait écrit : "Je suis la meilleure amie de Nikki depuis l'entrée en primaire et, en fait, je l'imite en tout. Quand j'ai vu qu'elle n'avait pas peur de se couper, j'ai décidé de le faire aussi, même si je trouvais ça plutôt glauque."

Joan en Peyton : "Je voudrais bien être cool, mais je suis immature. Je préfère le sport, et j'ai suivi quand on a fait des crasses à Alice parce que j'avais envie d'être cool."

Nikki en Emma : "Je suis tout le temps collée à Ashley parce que je crois qu'elle peut me rassurer sur moi-même et c'est marrant d'être avec elle parce qu'en fait elle s'en fiche si ça tourne mal. Quand elle a décidé de me faire avaler ce morceau de la queue de la souris morte, je l'ai fait, et pourtant ça me dégoûtait. Je suis comme son esclave. Elle lance des défis aux gens, et ça me plaît d'accepter les défis. Ma petite sœur a de la dystrophie musculaire et ça m'inquiète beaucoup alors quand je suis avec les copines et qu'on fait des trucs idiots ça m'aide à ne pas y penser."

Emma en Nikki avait écrit : "J'aime crâner et déconner, m'habiller tout en noir, me maquiller d'une manière dingue que ma mère déteste. Etre méchante avec Alice, c'était une façon de crâner."

Ashley avait écrit : "Je suis Alice, Miss Perfection. J'aime Chicago parce que c'est une grande ville avec plein de magasins et de musées et ma mère m'emmenait dans tous ces trucs artistiques à la noix et maintenant on ne peut plus y aller. J'étais copine avec Ashley, mais je crois que je suis trop sophistiquée pour elle. Je suis fille unique et mes parents me gâtent, ils m'achètent des fringues chères et m'envoient au ballet à Saint Paul. J'emploie des mots que les autres filles ne connaissent pas juste pour qu'elles se sentent bêtes. Je suis si morale que je ne sais pas m'amuser, et j'ai l'air blessée et prête à pleurer chaque fois que quelqu'un dit la moindre petite chose. Si je n'avais pas été une telle mauviette, les autres n'auraient rien pu me faire."

Alice avait écrit : "Je déteste Alice parce qu'elle a joué Charlene dans la pièce. Ça m'a fait crever de jalousie. Elle n'a pas compris que je la menais en bateau, et ça m'a rendu les choses faciles, lisses comme de la gelée sortant du pot. Je pouvais feindre de l'aimer, mais lui faire du mal derrière son dos. Mes frères et sœurs sont tout le temps en train de s'envoyer des coups de pied et des coups de poing, de claquer les portes, chez moi c'est une pagaille affreuse, et je suis obligée de prendre des médicaments parce que j'ai un problème psychologique, et ma mère est tout le temps en train de me crier dessus parce que je ne les prends pas…"

Récriminations, désaveux et hoquets de surprise avaient ponctué l'heure entière, mais le fait qu'Ashley eût attribué à Alice son propre problème, quel qu'il fût, était de loin la révélation la plus inquiétante. Ni Alice, ni Ashley ne s'étaient montrées capables de pénétrer la psychologie de l'autre, ni de trouver la moindre sympathie réciproque, mais lorsque Alice, sciemment ou non, lâcha le secret d'Ashley, tout le monde se tut, jusqu'au moment où Peyton s'exclama : "Mais, Ashley, tu as dit qu'Alice avait un problème psychologique, pas toi." Le truc consistant à échanger les sujets à la première personne s'était retourné sur lui-même. Ashley, apparemment, avait déjà pratiqué ce jeu.

1. Je promets de regarder dans le frigo ce qui reste de jus de fruits et de lait, et de penser à en racheter s'il en manque.

2. Je promets de lire *Middlemarch* de bout en bout (ceci est valable aussi pour *La Coupe d'or*).

3. Je promets de ne plus t'interrompre quand tu es en train d'écrire.

4. Je promets de te parler davantage.

5. Je promets d'apprendre à cuisiner autre chose que des œufs.

6. Je promets de t'aimer.

Boris.

Je lus la liste à plusieurs reprises. Franchement, je ne croyais pas aux cinq premiers points. Ceux-là exigeraient une révolution d'une espèce à laquelle j'avais cessé de croire. Mon univers tournait autour du numéro 6 parce que, voyez-vous, Boris m'avait aimée. Il m'avait aimée longtemps et la question était moins de savoir s'il était sincère – je le croyais sincère – que s'il se faisait des illusions. Pouvait-il vraiment laisser derrière lui son explosive Interlude, ou le fantôme de celle-ci demeurerait-il en résidence chez nous pour le restant de nos jours ? Mais, pire, si Boris s'était fait la belle une fois, qu'est-ce qui l'empêcherait de recommencer ? Quand je lui répondis, ce fut exactement ce que je lui demandai.

Regina revint à Rolling Meadows, mais pas dans le quartier des autonomes. Elle fut placée, à l'autre bout de l'établissement, dans une unité spéciale réservée aux personnes atteintes d'alzheimer, bien que la maladie n'ait pas été diagnostiquée chez elle. Après "l'incident", les autorités (bienveillantes, en majorité, mais d'une tolérance pas du tout illimitée) avaient pris la décision qu'on ne pouvait plus lui faire confiance. Nous la trouvâmes, ma mère et moi, assise dans une petite chambre nue – presque identique à ma propre chambre d'hôpital à Payne Whitney mais sans la vue sur l'East

River – sur un petit lit sévère à couverture bleue, avec sa belle et longue chevelure blanche tombant en désordre autour de son visage. Lorsque ma mère franchit la porte, Regina s'écria : "Laura !" et tendit les bras vers son amie. Les deux s'étreignirent et puis, encore embrassées, se balancèrent d'avant en arrière pendant une minute environ. Quand elles se séparèrent, Regina me considéra comme si elle cherchait quelque chose, et je me rendis compte que le Cygne abattu avait oublié mon nom, peut-être jusqu'à mon existence, mais ma mère vint à la rescousse de sa camarade en rappelant mon identité dès qu'elle comprit ce qui manquait dans les réserves mentales de Regina.

Les deux femmes bavardèrent, mais c'était Regina qui parlait le plus. Elle raconta l'épreuve par laquelle elle était passée – les examens, le gentil médecin et celui qui était désagréable, les questions sans fin à propos des présidents et de la saison, et sentait-elle les piqûres d'épingle, et ainsi de suite. Elle défaillit, fondit en larmes mais se remit rapidement et, en quelques secondes, démarra dans la nostalgie. N'avait-ce pas été merveilleux, de l'autre côté, chez les Autonomes ? Elle avait son appartement, là, avec toutes ses "jolies affaires", et elles n'étaient qu'à quelques pas l'une de l'autre et, oh mon Dieu, la plante araignée, est-ce que quelqu'un l'avait arrosée ? Et, maintenant, la voilà, en exil chez les "dingues" et les gens "qui bavent, qui pissent et font sur eux". Si seulement elle pouvait retourner de l'autre côté. Je vis ma mère ouvrir la bouche et la refermer. Si Regina souhaitait se souvenir comme d'un paradis de ce "chez-elle" qu'elle avait détesté, à quel titre aurait-elle détruit cette illusion ? Au moment où nous la quittions, la vieille femme releva la tête, rejeta en arrière ses mèches désordonnées et fit un large sourire. Elle nous envoya des baisers et chantonna d'une voix grêle et aiguë : "Reviens, Laura. Tu reviendras ? Tu m'as terriblement manqué. Tu n'oublieras pas de revenir ?"

Juste avant de refermer la porte, je jetai un dernier coup d'œil à Regina. Elle semblait à plat, comme si cet au revoir théâtral l'avait vidée de tout son air.

Une fois dans le couloir, ma mère s'immobilisa. Les deux mains serrées contre son cœur, elle ferma les yeux et dit, dans un souffle : "C'est si cruel.

— Quoi, maman ?

— La vieillesse."

Côté Lola, Pete, Flora et Simon, le *soap opera* se répétait sans grandes différences, ainsi que l'avait reconnu Lola elle-même, mais à présent les circonstances conspiraient pour en susciter une, et cette différence était l'argent. J'avais beau aimer mes Chrysler Buildings et avoir prêté une oreille indulgente aux projets professionnels dont me parlait Lola, je n'avais pas été optimiste. La pauvre jeune femme n'avait eu que peu de temps à consacrer à ses bijoux et, tout bien considéré, ses perspectives de succès semblaient médiocres. Et puis, tout à coup, exactement comme il arrive dans les romans, particulièrement dans les romans du XVIIIe et du XIXe siècle, la marraine de Lola, une dame célibataire et frugale qui avait exercé pendant cinquante ans la profession d'économe au St. Joseph's College, mourut et, tel un deus ex machina vieillissant, légua à sa filleule un service complet en porcelaine de Wedgwood et cent mille dollars. (Soyons juste : cela arrive tout le temps dans la VRAIE VIE, aux XXe et XXIe siècles ; c'est simplement moins fréquent dans les ROMANS des XXe et XXIe siècles.)

Et ainsi, ne fût-ce que pour un temps, Lola se retrouva nantie et, plus important, l'argent était à elle, pas à Pete. La même semaine, une petite boutique de Minneapolis accepta de vendre les créations de Lola. Ils avaient un faible pour les boucles d'oreilles architecturales, surtout les tours penchées de Pise. C'était la joie chez les voisins. Nous fîmes la fête le vendredi soir, après une rude semaine avec les sorcières. (Cela, j'en rendrai compte plus tard. La chronologie est parfois surestimée en tant que procédé narratif.) Ma mère, Peg, Lola et les deux petits bouts étaient présents. J'avais invité Abigail mais elle avait dit se sentir trop faible pour le voyage, bien que nous lui eussions proposé de lui faire faire en voiture les quelques mètres jusque chez les Burda.

Lola portait du rose. Ma mère porta Simon presque tout au long de la soirée, et tous deux s'amusèrent énormément. Le petit homme chantait. Quand ma mère chantait pour lui, il lui répondait de même, dans des tonalités bien sûr peu conventionnelles, peut-être même bizarres, mais il chantait néanmoins et ses sonorités flûtées furent la source de beaucoup d'hilarité. Flora, déchaînée et sans perruque, parlait en chuchotant à Moki et se bourrait la bouche de gâteau. J'étais attentive à la cajoler et à babiller avec elle, afin qu'elle n'ait pas l'impression que son petit frère était toujours le plus mignon des deux. Peg brillait joyeusement. A une réunion de famille, elle était dans son élément, et sa présence ajoutait de la douceur à ce qui était déjà une douce occasion.

Je demandai à Lola si Pete était en voyage mais, non, son mari était resté à la maison. Il s'était senti mal à l'aise, dit-elle, à l'idée d'être le seul homme, et il avait insisté pour qu'elle y aille et qu'elle s'amuse. Pendant que Peg et ma mère occupaient ses enfants, Lola et moi nous retirâmes dans la chambre à coucher où nous avions tous passé une nuit dans le grand lit et elle me raconta que, d'avoir cet argent, elle se sentait différente. "Je n'ai rien fait pour le gagner, dit-elle, mais maintenant qu'il est à moi, je me sens plus importante, en un sens, plus libre, et Pete est plus heureux. C'est comme s'il pouvait souffler un peu et se faire moins de souci. Et puis il y a la Grange-aux-Artisans, et tout à coup ils aiment ce que je fais, alors il ne croit plus que mes bijoux, c'est juste un bricolage inutile."

Debout l'une près de l'autre, nous regardions par la fenêtre. Je m'étais attachée à cette vue et au ciel d'été, surtout quand le soleil couchant le teintait de bleu, de lavande et de rose, et que je pouvais regarder les formations nuageuses au-dessus du pré, du bouquet d'arbres, de la grange et du silo s'assombrir et s'aplatir au fur et à mesure que la soirée progressait. Une étude en répétition. Une étude en mutabilité. Et Lola dit que je lui manquerais lorsque je repartirais chez moi, et je répondis qu'elle me manquerait. Elle se demandait ce que j'allais faire à propos de Boris, et je lui parlai de la cour qu'il me faisait et elle sourit. Dans l'autre pièce, j'entendis le rire des femmes et un cri aigu de Flora et, quelques secondes après, Simon qui pleurait.

Nous restâmes où nous étions, néanmoins, Lola et moi, pendant quelques secondes encore, à regarder par la fenêtre en silence, avant qu'elle s'en retourne vers la fête pour consoler son petit garçon.

Homo homini lupus. L'homme est un loup pour l'homme. J'avais trouvé cette phrase dans une œuvre de ce grand pessimiste de Sigmund Freud, mais apparemment c'est de Plaute qu'elle vient. Triste mais vrai. Voyez autour de vous. Voyez même ces petites filles, leur soif de reconnaissance et d'admiration, leurs tactiques impitoyables, leurs joies agressives. Comme leurs "je" continuaient de passer de l'une à l'autre au cours de cette semaine, je perdis parfois la trace de qui jouait qui, mais elles s'identifiaient sans difficulté. Bien qu'il y eût peu de révélations nouvelles, l'histoire que j'avais intitulée *Le Bal des sorcières* commençait à prendre forme. Ashley avait été renversée. Elle était tombée avec son mensonge. Je doute qu'elle eût éprouvé le moindre remords authentique si elle ne s'était pas fait prendre, mais elle souffrit intensément d'avoir perdu son pouvoir. C'était une survivante, cependant, et elle entreprit de s'ajuster à son nouveau rôle dans le groupe. Le mercredi, elle demanda officiellement pardon à sa victime et ce geste, sincère ou non, contribua à rehausser sa réputation parmi les autres. Emma avait été très secouée par l'allusion à sa sœur malade, mais la sympathie qu'inspirait aux filles son statut d'enfant en bonne santé mais ignoré lui était un soulagement considérable, et elle apporta spontanément à l'histoire et au rôle qu'elle y jouait des amendements que je trouvai courageux : "Ça me faisait plaisir quand Alice pleurait." Les platitudes narcissiques de Jessie en avaient pris un coup. Elle comprit qu'elle avait eu exagérément confiance en elle-même. Elle avait adopté le méchant complot pratiquement sans réflexion. A mesure que la semaine avançait, Peyton pleurait de moins en moins et prenait de plus en plus de plaisir à jouer le rôle des autres filles. La catharsis du théâtre. A vrai dire, dès le jeudi il devint évident qu'un scénario tacite avait déjà été écrit, et les enfants s'étaient jetées avec enthousiasme dans leur propre mélodrame. Alice perdit un peu de son statut d'héroïne romantique, mais toutes avaient pris conscience de sa souffrance et elle entra dans les vies de ses persécutrices avec tant de zèle que, le vendredi, Nikki s'exclama : "Oh, mon Dieu, Alice, ça te plaît d'être la méchante !" Joan, bien sûr, partageait son avis.

L'histoire que toutes emportèrent chez elles le vendredi n'était pas une histoire vraie ; c'était une version avec laquelle toutes pouvaient vivre, quelque chose comme les histoires nationales qui estompent, dissimulent et déforment mouvements populaires et événements afin de préserver une idée. Les filles n'avaient pas envie de se détester elles-mêmes et, même si la haine de soi n'est en rien extraordinaire, le consensus auquel elles arrivèrent à propos de ce qui s'était passé entre elles était considérablement plus doux que la proposition avancée par le docte Viennois que j'ai cité plus haut. Quant à moi, à la fin, je sentis que ma rencontre avec les sorcières m'avait réussi. Elles m'embrassèrent, toutes les sept, elles chantèrent mes louanges, et je reçus un cadeau : une boîte violette contenant un savon parfumé, une lotion pour les mains dans une bouteille de forme ondulée, et un sachet de gros cristaux pour le bain noué d'un ruban violet. Que demander de plus ?

Et alors un bon vent m'amena ma Daisy. Cette expression usée convient néanmoins à ma bien-aimée progéniture. Cette enfant a un caractère venteux, une capacité de faire bouger les choses sans réellement agir beaucoup. Quand elle sauta du taxi, grand sac de cuir à l'épaule, fermeture éclair béante révélant contenu en désordre, accoutrée d'un t-shirt minuscule, d'un veston d'homme, d'un jean coupé, d'un chapeau mou en paille et d'énormes lunettes de soleil, elle semblait incarner l'agitation, l'impatience – bref, une petite tornade.

C'est une beauté, aussi. Comment nous l'avons engendrée, Boris et moi, c'est une énigme, mais les dés génétiques tombent n'importe où. Nous ne sommes laids ni l'un, ni l'autre, et ma mère, ainsi que vous le savez, me trouve encore belle, mais Daisy c'est tout autre chose et il est difficile de ne pas regarder cette enfant quand elle est dans les parages.

C'est une petite diablesse affectueuse, aussi, elle l'a toujours été, elle sait étreindre, embrasser, faire des bisous d'esquimau et caresser, et quand nous nous retrouvâmes dans les bras l'une de l'autre, sur le seuil, nous nous étreignîmes, nous embrassâmes, nous nous fîmes des bisous d'esquimau et nous caressâmes pendant deux bonnes minutes avant de nous lâcher. Et, ainsi qu'il arrive parfois, ce n'est qu'à ce moment-là que je compris combien elle m'avait manqué, combien je m'étais languie de ma fille, mais je m'abstins, vous serez heureux de le savoir, de fondre en larmes. Un rien d'humidité sans doute au voisinage de mes conduits, mais pas plus.

Nous passâmes la soirée chez ma mère et, bien que je ne me souvienne que de bribes de ce que nous avons dit, je revois bien avec quelle expression animée ma mère écoutait Daisy nous raconter des histoires à propos du théâtre et de Muriel et des nuits pendant lesquelles elle avait suivi son père et comment il ne s'était aperçu de sa "filature" que lorsqu'elle l'avait affronté, devant le Roosevelt, en lui demandant : "Qu'est-ce qui se passe, papa, nom d'un chien ?" Et je me souviens que ma mère avait eu des nouvelles de Regina. L'une de ses filles était venue à sa rescousse. Letty était arrivée et s'occupait d'organiser l'installation de sa mère à Cincinnati, où il y avait une "maison" à proximité de chez Letty et sa famille. Ma mère avouait ne pas savoir comment cela tournerait, mais c'était certainement préférable à "l'affreuse cellule de prison" dans l'aile réservée aux patients atteints d'alzheimer.

Le lendemain même, on nous annonça qu'Abigail avait eu une attaque. Elle était vivante, mais la femme que nous avions connue avait disparu. Elle ne savait plus où elle se trouvait ni qui elle était. Le réveille-matin s'était arrêté. Les gens très âgés se languissent et meurent. Cela, nous le savons, mais les gens très âgés le savent bien mieux que nous. Ils vivent dans un monde de perte continuelle et cela, ainsi que l'avait dit ma mère, c'est cruel.

Je la vis pendant quelques minutes en soins intensifs, deux jours après. Ma mère n'avait pas souhaité venir. Je comprenais pourquoi ; le spectre de la disparition de toutes les facultés qui font de la vie ce qu'elle est lui semblait trop proche. Abigail était couchée sur le côté ; la courbure de sa colonne signifiait qu'elle avait la tête près des genoux, si bien qu'elle n'occupait qu'une petite partie du lit. Ses paupières palpitaient et elle avait de temps à autre les yeux ouverts, mais iris et pupilles étaient vides de toute pensée, et lorsqu'elle respirait c'était avec un bruit rauque. Les rares cheveux gris de mon amie paraissaient un peu gras et emmêlés, et elle portait une chemise d'hôpital en tissu à fleurs qu'elle aurait détestée. Je lui lissai les cheveux. Je lui parlai, l'assurai que je me souvenais de tout, que je prendrais le testament dans le tiroir quand le moment serait venu et que je ferais tout au monde pour placer les amusements secrets dans une galerie quelque part. Et, avant de partir, je me penchai et lui chantai à l'oreille, très doucement, comme je le faisais autrefois pour Daisy, une berceuse, pas celle de Brahms, une autre. Une infirmière me fit sursauter en franchissant la porte, derrière moi, et je me reculai, embarrassée, mais elle était gaie, sans chichi, et elle me dit que je pouvais rester, seulement je ne pouvais pas, je ne sais plus pourquoi. Deux jours plus tard, Abigail était morte et j'étais contente.

J'écrivis à Personne à propos d'elle, de ses œuvres et de sa lointaine histoire d'amour. Je ne sais pas pourquoi je lui racontai cela. Peut-être voulais-je une réponse d'une certaine grandeur. Je fus servie.

> Certains d'entre nous sont destinés à vivre dans une case dont il n'est de libération que temporaire. Nous autres aux esprits endigués, aux sentiments entravés, aux cœurs arrêtés et aux pensées réprimées, nous qui aspirons à exploser, à déborder en un torrent de rage ou de joie ou même de folie, mais n'avons nulle part où aller, nulle part au monde parce que nul ne veut de nous tels que nous sommes, et il n'y a rien d'autre à faire qu'embrasser les plaisirs secrets de nos sublimations, l'arc d'une phrase, le baiser d'une rime, l'image qui prend forme sur le papier ou la toile, la cantate intérieure, la broderie cloîtrée, le travail d'aiguille sombre ou rêveur venu de l'enfer ou du ciel ou du purgatoire ou d'aucun des trois, mais il faut que viennent de nous quelque bruit et quelque fureur, quelques éclats de cymbales dans le vide. Qui nous priverait de la simple pantomime de la frénésie ? Nous, les acteurs qui allons et venons sur une scène sans spectateurs, entrailles palpitantes et poings levés ? Ton amie était l'une d'entre nous, les jamais consacrés, jamais choisis, contrefaite par la vie, par le sexe, condamnée par le destin mais toujours industrieuse sous les apparences où

seuls s'aventurent les privilégiés, toujours brodant pendant des années, brodant son cœur brisé et son amertume et sa nostalgie et pourquoi pas ? Pourquoi ? Pourquoi pas ? Pourquoi ? Pourquoi pas ?

Si sombre qu'il fût, il me réconforta, étrangement. Pourquoi ? Encore que, pour la première fois, je me demandai si M. Personne ne pouvait pas tout aussi bien être Mme Personne. Qui le savait ? Je ne me sentais plus tellement sûre qu'il s'agît de Leonard. Mais je me rendis compte que ça m'était égal. Il ou elle était ma voix venue de Neverland, le pays de Jamais, venue de Pourquoi, pas d'Où, et ça me plaisait ainsi.

Si jamais je me conduis encore comme un imbécile, cloue-moi au mur.

Ton Boris.

Daisy se tenait debout derrière moi quand je lus ce message sur l'écran, et je sentis ses mains sur mes épaules. "Que vas-tu répondre, maman ? Dis-moi, maman.

— J'aurai mon pistolet-agrafeur sous la main.

— Oh, maman, geignit-elle. Il fait de son mieux, tu ne vois pas ? Il est mal."

Ma fille fit rouler en arrière le siège de bureau sur lequel j'étais assise, s'installa sur mes genoux et se mit à me cajoler et à me câliner pour obtenir que je réponde à son cher vieux papa quelque chose d'encourageant. Elle tira sur les lobes de mes oreilles, me pinça le nez et utilisa pour plaider sa cause une variété d'accents – coréen, irlandais, russe et français. Bondissant de mes genoux, elle me fit un numéro de claquettes, dont un pas de *shuffle-ball-change*, et agita les bras et exprima avec force son souhait de voir réuni le couple vieillissant, une maman et un papa, soleil et lune ou lune et soleil, double sphère du ciel de son enfance.

Le jour de l'enterrement d'Abigail, il pleuvait, et je pensai qu'il n'était que juste qu'il pleuve. La pluie tombait sur l'herbe tondue, et je me rappelai les mots qu'elle avait brodés au petit point : *O souviens-toi que ma vie n'est qu'un souffle.* Il y avait de nombreux représentants de Rolling Meadows sur les bancs, cet après-midi-là, c'est-à-dire beaucoup de femmes, car c'étaient des femmes qui vivaient là, en majorité du moins, sauf que Busley le libidineux s'y montra sur son *Mobility Scooter*, qu'il gara dans l'allée centrale, près du fond. Je vis la nièce, qui me parut vieille mais, après tout, elle devait être septuagénaire. On avait prié ma mère de prendre la parole. Elle tenait son discours étroitement serré sur ses genoux, et je la sentais nerveuse. Elle avait essayé plusieurs tenues noires avant que nous n'y allions, s'inquiétant de cols et de repassage et de ce qui pouvait ou non être une tache sur une jupe, pour porter enfin son choix sur un tailleur veste et pantalon en coton, avec un chemisier qu'Abigail avait toujours admiré. L'officiant, un homme aux cheveux rares et au comportement d'une gravité de circonstance, ne pouvait pas avoir très bien connu notre amie commune car il prononça des contrevérités à l'énoncé desquelles je sentis ma mère se raidir à côté de moi : "Membre fidèle de notre congrégation, une âme généreuse et douce."

Mon élégante petite mère gravit avec prudence mais sans difficulté les marches menant à la chaire et, après s'être assurée de la position de ses pieds et de ses lunettes de lecture, elle se pencha vers ses auditeurs. "Abigail était beaucoup de choses, dit-elle d'une voix chevrotante, rauque, emphatique. Mais ce n'était pas une âme généreuse et douce. Elle était drôle, elle avait son franc-parler, elle était intelligente et, à vrai dire, souvent courroucée et irritable." J'entendis deux femmes rire derrière moi. Ma mère poursuivit et, de phrase en phrase, je la sentais s'échauffer à l'évocation de son sujet. Elles avaient fait connaissance au club de lecture le jour où Abigail avait choqué les autres membres en dénonçant un roman qu'elles étaient en train de lire et auquel venait d'être attribué le prix PULITZER, en le traitant de "ramassis de conneries puantes", verdict que ma mère n'avait pas contesté mais qu'elle aurait formulé différemment, et elle continua en vantant la puissance créatrice d'Abigail et les nombreuses œuvres d'art qu'elle avait réalisées au cours des années. Elle qualifiait d'art ce qu'Abigail avait réalisé et Abigail d'artiste, et nous étions fières, Daisy et moi, d'avoir une telle grand-mère et mère. Je savais que maman ne pleurerait pas sur Abigail. Je ne crois pas qu'elle ait pleuré pour mon père. C'était une véritable stoïque ; s'il n'y a rien à y faire, qu'il en soit ainsi. Les Cygnes mouraient, l'un après l'autre. Nous mourons tous, les uns après les autres. Nous répandons tous une odeur de mort, dont on ne peut se débarrasser. Il n'y a rien à y faire, sinon, peut-être, nous mettre à chanter.

Il nous faut nous quitter pour quelque temps, nous quitter, Daisy et moi, et aussi Peg la positive, assise à côté de Daisy, quitter ma mère en train de porter témoignage à son amie. Nous allons la quitter, bien qu'elle se soit montrée brillante ce jour-là et qu'elle ait reçu ensuite de nombreuses et chaleureuses félicitations pour avoir dit ce qui était généralement tenu pour vrai, parce qu'on sait bien que les morts vont souvent à leurs tombes enveloppés de mensonges. Mais nous allons nous quitter là, aux funérailles, tandis qu'il pleut à verse derrière les vitraux des fenêtres, et nous les laisserons se dérouler telles qu'elles se sont alors déroulées, mais sans en faire mention.

Le temps nous embrouille, ne trouvez-vous pas ? Les physiciens savent jouer avec mais, en ce qui nous concerne, il faut nous accommoder d'un présent fugace qui devient un passé incertain et, si confus que puisse être ce passé dans nos têtes, nous avançons toujours inexorablement vers une fin. En esprit, cependant, tant que nous sommes vivants et que nos cerveaux peuvent encore établir des connexions, il nous est possible de sauter de l'enfance à l'âge adulte, puis en sens inverse, et de dérober, dans l'époque de notre choix, un petit morceau savoureux ici, un autre plus amer, là. Rien ne peut jamais redevenir comme avant, mais uniquement comme une incarnation ultérieure. Ce qui était autrefois l'avenir est maintenant le passé, mais le passé revient au présent à l'état de souvenir, il est ici et maintenant dans le temps de l'écriture. Une fois encore, je m'écris moi-même ailleurs. Rien n'empêche qu'il en soit ainsi, n'est-ce pas ?

Bea et moi sortons de la patinoire proche de la Lincoln School, nous attendons que notre père vienne nous chercher, et nous le voyons arriver dans le break vert. Pendant le trajet, il sifflote *Le Canal d'Erié* et, sur le siège arrière, Bea et moi échangeons un sourire. A la maison, maman est allongée sur le lit, elle lit un livre en français. Nous sautons sur le lit, elle nous tâte les pieds. Ils sont si froids. *Glace*, elle prononce le mot *glace*. Et puis elle nous ôte nos quatre chaussettes, prend nos pieds nus de patineuses et les glisse sous son chandail contre la peau tiède de son ventre. Paradis trouvé.

Stefan, assis sur le canapé, gesticule en défendant son point de vue. Je le regarde, et il m'inquiète. Il est trop vivant. Ses pensées se bousculent en trop grande hâte, et pourtant j'ignore alors ce qui va arriver. Je suis innocente de l'avenir, et cet état, ce nuage d'inconnaissance, il m'est impossible de le récupérer.

Le Dr F. me dit de pousser. Poussez, maintenant ! Et je pousse de toutes mes forces et plus tard je m'apercevrai que je me suis claqué des petits vaisseaux sur tout le visage, mais qu'en sais-je à ce moment-là, rien, et je pousse, et je sens sa tête, et alors des voix s'exclament que sa tête est en train de sortir, et c'est vrai, et voilà son corps qui glisse soudain hors du mien, moi/elle, deux en une, et entre mes jambes écartées je vois une inconnue rouge et poisseuse, avec un tout petit peu de cheveux noirs, ma fille. Je crois que je ne me rappelle rien du cordon ombilical. Rien du moment où on l'a coupé. Boris est là, et il pleure. Je ne verse pas une larme. Lui, si. Maintenant je m'en souviens ! J'ai dit qu'il n'avait jamais chialé dans la vraie vie, mais je me trompais. J'avais oublié ! Il est, là, maintenant, debout dans ma tête, en train de pleurer après la naissance de sa fille.

Je marche dans la galerie AIM, une coopérative de femmes à Brooklyn, pour assister au vernissage d'une exposition intitulée "Les Amusements secrets".

Je me tiens debout à côté de Boris dans notre appartement de Tompkins Place. *Promets-tu de l'aimer, de le réconforter, de l'honorer et de le chérir, dans la maladie comme dans la santé ; et, renonçant à tous les autres, de te garder pour lui seul, aussi longtemps que vous vivrez tous deux ?*

Eh bien, tu promets ? Parle, espèce de rouquine stupide. C'était alors. J'ai dit *oui*. J'ai dit : *Je promets*. J'ai dit quelque chose d'affirmatif.

Ma mère vient d'avoir quatre-vingt-dix ans et nous la fêtons à Bonden. Ses genoux lui font des ennuis, mais elle est lucide et ne se sert pas d'un déambulateur. Peg est là, et ma mère me présente à Irène. J'ai beaucoup entendu parler d'Irène au téléphone ces derniers temps, et je lui serre la main avec énergie pour manifester mon enthousiasme. Elle a quatre-vingt-quinze ans. "Votre mère et moi, me dit-elle, nous amusons vraiment bien ensemble."

Mama Mia écrit des poèmes à la table de la cuisine. La petite Daisy remue dans son berceau.

Mia est à l'hôpital, maintenant, déclarée atteinte d'une psychose brève, une aliénation momentanée de sa raison, un pépin au cerveau. C'est, officiellement, *une folle**. Elle écrit dans le cahier intitulé TESSONS DE CERVEAU.

7.
Une chose insistante –
mais muette,
pas une identité,
un rêve éveillé dont ne reste nulle image,
rien que souffrances. Il me faut un nom
il me faut un mot dans ce monde blanc,
il me faut appeler cela quelque chose, pas rien.
Choisis une image venue de nulle part,
d'un trou dans un esprit
et regarde, là, tout au bord :
un os fleurit.

11.
Sur la mélancolline
Je file des jours enfligés
Avec Phil, Lent et Rob,
Mes amis échoués
D'Alenseule,
La blême cité.

21.
Une fois, c'est facile, amour
Deux fois, trop lourd,
Pisse et présure
Etrons et lait sur.
C'est quoi, tout ça ?

Elle a retrouvé la raison et, dans le salon des Burda, elle lit une biographie de ce génie maniéré mais passionné, ce philosophe danois qui, depuis des années, l'irrite, la perturbe et la déconcerte. Nous sommes le 19 août 2009.

J'ai fait le tour, me voici revenue à moi-même, comme vous pouvez le voir. Quelques jours seulement se sont écoulés depuis l'enterrement. Je suis revenue où j'en étais alors, durant cet été que j'ai passé avec ma mère et les Cygnes et Lola et

Flora et Simon et les jeunes sorcières de Bonden. Abigail gît dans sa tombe aux abords de la ville. Il n'y a pas encore de pierre. Cela viendra plus tard. C'était il n'y a pas si longtemps, après tout, et ma mémoire de cette époque est précise. Daisy était encore avec moi. Au cours des quelques jours précédents, les 16, 17 et 18, Boris Izcovitch m'avait fait une cour assidue et fervente, il m'avait même adressé un poème démesuré mais touchant dont le début était : "J'ai connu une nommée Mia / qui savait rimer et scander / et faire des onomatopées." Cela s'effondrait ensuite, mais à quoi pourrait-on s'attendre de la part d'un neuroscientifique internationalement renommé ? Le sentiment exprimé après cette introduction était, selon Daisy, "pure guimauve". Cela dit, seul les plus coriaces d'entre nous dédaignent la guimauve ou le boniment, ou encore les vieilles ballades qui chantent la perte et la mort des amants, et seuls les cancres confirmés sont incapables de prendre plaisir aux silhouettes fantomatiques errant dans la lande, dans les champs ou à l'air libre. Et qui d'entre nous reprocherait à Jane Austen ses dénouements heureux ou affirmerait que Cary Grant et Irene Dunne ne devraient pas se réconcilier à la fin de *Cette sacrée vérité* ? Il y a des comédies et il y a des tragédies, pas vrai ? Et elles se ressemblent plus souvent qu'elles ne sont différentes, un peu comme les hommes et les femmes, si vous voulez mon avis. Une comédie, c'est quand on arrête l'histoire exactement au bon moment.

Et je vais vous dire en toute confidence, vieil ami, car voilà bien ce que vous êtes maintenant, vaillante lectrice, vaillant lecteur, éprouvés et fidèles et si chers à mon cœur. Laissez-moi vous dire que si mon bonhomme avait franchi les étapes, comme on dit, et qu'il était parvenu de plus en plus près de ce qu'il y avait *là*, au fond de moi, quoi que ce fût, c'était qu'il avait eu du temps, tout simplement du temps, tout le temps écoulé, et la fille que nous avions eue et aimée, et qui est devenue la gentille chérie dingue et douée qu'elle est, et toutes les conversations et les bagarres, et les ébats amoureux, aussi, entre moi et le Grand B., les souvenirs de Sidney et de ma Célia à moi, qui n'avait pas besoin que Columbus la découvre, ça, je peux vous le garantir. Et dans le cœur secret de mon cœur, je reconnais qu'il restait un peu d'ancienne guimauve que n'avaient écopée ni les épreuves ni la démence. Mais il y avait aussi l'histoire elle-même, l'histoire que nous avions écrite ensemble, Boris et moi, et dans cette histoire nos corps, nos pensées et nos souvenirs s'étaient si bien entremêlés qu'il était difficile de voir où se terminaient ceux de l'un et où commençaient ceux de l'autre.

Mais revenons au 19 août 2009, en fin d'après-midi, cinq heures environ. Flora était venue nous rendre visite en compagnie de Moki, et Daisy leur offrait un numéro de chant et de danse. Flora applaudissait avec enthousiasme et encourageait Moki à en faire autant. Il ne faisait pas beau, une journée marécageuse si jamais il en fut, trente-cinq degrés et ciel voilé, moustiques en maraude après la pluie. J'éprouvais une certaine difficulté à me concentrer sur mon livre, étant donné l'agitation, mais j'avais fini par arriver aux fiançailles rompues de Kierkegaard. Il l'aimait. Elle l'aimait, et il ROMPT, pour souffrir aussitôt de monstrueuses et exquises tortures mentales. Quelle triste et perverse aventure c'était là. Quand je remarquai que Daisy avait arrêté de chanter, je relevai la tête. Elle avait couru à la fenêtre.

"Il y a une voiture qui arrive." Elle se pencha contre la vitre. "Je ne vois pas qui c'est. Tu n'attends personne, dis ? Bon sang, il sort de la voiture. Il s'avance vers le seuil. Il monte les marches. Il sonne." J'entendis la sonnette. "C'est papa, maman. C'est papa ! Eh bien, eh bien, tu ne vas pas ouvrir ? Qu'est-ce que tu as ?"

Flora étreignit Daisy autour des cuisses et se mit à bondir sur place d'excitation. "Eh bien ? coassait-elle. Eh bien ?"

"Vas-y, toi, dis-je. Laissez-le venir à moi."

FONDU AU NOIR

BABEL

Extrait du catalogue

1072. KALÂBÂDHÎ
Traité de soufisme

1073. GHAZÂLÎ
Temps et prières

1074. ETGAR KERET
La Colo de Kneller

1075. KHALED AL KHAMISSI
Taxi

1076. JOËL DE ROSNAY
Et l'homme créa la vie…

1077. NOURJEHAN VINEY
Les Contes du roi Vikram

1078. *
Histoire de 'Arûs, la Belle des Belles, des ruses qu'elle ourdit, et des merveilles des mers et des îles

1079. JOUMANA HADDAD
Le Retour de Lilith

1080. JOSÉ CARLOS SOMOZA
La Clé de l'abîme

1081. PETER HØEG
La Petite Fille silencieuse

1082. MAGYD CHERFI
Livret de famille

1083. INTERNATIONALE DE L'IMAGINAIRE N° 26
Labyrinthes du réel : écrivains estoniens contemporains

1084. HENRY BAUCHAU
Déluge

1085. CLAUDIE GALLAY
Les Déferlantes

1086. KATARINA MAZETTI
La fin n'est que le début

1087. ALBERTO MANGUEL
Tous les hommes sont menteurs

1088. JACQUES POULIN
Les Yeux bleus de Mistassini

1089. MICHEL TREMBLAY
Un objet de beauté

1090. ANNE-MARIE GARAT
Pense à demain

1091. CLAUDE PUJADE-RENAUD
Les Femmes du braconnier

1092. M. J. HYLAND
Le Voyage de Lou

1093. MARINA TSVETAÏEVA
Mon Pouchkine

1094. LAURE ADLER
L'Insoumise, Simone Weil

1095. XAVIER HAREL
La Grande Evasion

1096. PAUL VIRILIO
La Pensée exposée

1097. SÉBASTIEN LAPAQUE
Il faut qu'il parte

1098. IMRE KERTÉSZ
Le Drapeau anglais

1099. AKIRA YOSHIMURA
Liberté conditionnelle